#홈스쿨링
#혼자 공부하기

똑똑한
하루 한자

KB088412

똑똑한 하루 한자
시리즈 구성 예비초~4단계

우리 아이 한자 학습 첫걸음

8급

1단계 Ⓐ, Ⓑ, Ⓒ

7급Ⅱ

2단계 Ⓐ, Ⓑ, Ⓒ

7급

3단계 Ⓐ, Ⓑ, Ⓒ

6급Ⅱ

4단계 Ⓐ, Ⓑ, Ⓒ

똑똑한 **하루한자♥**

4주 완성 스케줄표

1단계 C

★ 공부한 날짜를 써 봐!

1주

1일 8~17쪽	**2**일 18~23쪽	**3**일 24~29쪽	**4**일 30~35쪽	**5**일 36~41쪽
학교 한자 學 배울 학	학교 한자 校 학교 교	학교 한자 敎 가르칠 교	학교 한자 室 집 실	학교 한자 門 문 문
월 일	월 일	월 일	월 일	월 일

특강
42~49쪽
월 일

힘을 내! 넌 최고야!

2주

5일 78~83쪽	**4**일 72~77쪽	**3**일 66~71쪽	**2**일 60~65쪽	**1**일 50~59쪽
나라 한자 外 바깥 외	나라 한자 國 나라 국	나라 한자 日 날 일	나라 한자 中 가운데 중	나라 한자 韓 한국/나라 한
월 일	월 일	월 일	월 일	월 일

특강
84~91쪽
월 일

 배운 내용은 꼭꼭 복습하기!

3주

1일 92~101쪽	**2**일 102~107쪽	**3**일 108~113쪽	**4**일 114~119쪽	**5**일 120~125쪽
색깔 한자 靑 푸를 청	색깔 한자 白 흰 백	여러 가지 뜻과 음 萬 일만 만	여러 가지 뜻과 음 長 긴 장	여러 가지 뜻과 음 女 여자 녀
월 일	월 일	월 일	월 일	월 일

특강
126~133쪽
월 일

마지막 4주 공부 중. 감동이야!

4주

특강	**5**일 162~167쪽	**4**일 156~161쪽	**3**일 150~155쪽	**2**일 144~149쪽	**1**일 134~143쪽
168~175쪽	여러 가지 뜻과 음 金 쇠 금/성 김	여러 가지 뜻과 음 北 북녘 북/달아날 배	여러 가지 뜻과 음 先 먼저 선	여러 가지 뜻과 음 生 날 생	여러 가지 뜻과 음 年 해 년
월 일	월 일	월 일	월 일	월 일	월 일

**Chunjae
Makes
Chunjae**

▼

똑똑한 하루 한자 1단계 C

편집개발	김정, 정환진
디자인총괄	김희정
표지디자인	윤순미
내지디자인	박희춘, 조유정
삽화	강일석, 권순화, 베로니카, 정윤희, 하윤희, 홍선미
제작	황성진, 조규영

발행일	2021년 9월 15일 초판 2022년 3월 15일 2쇄
발행인	(주)천재교육
주소	서울시 금천구 가산로9길 54
신고번호	제2001-000018호
고객센터	1577-0902

※ 이 책은 저작권법에 보호받는 저작물이므로 무단복제, 전송은 법으로 금지되어 있습니다.

※ 정답 분실 시에는 천재교육 교재 홈페이지에서 내려받으세요.

※ KC 마크는 이 제품이 공통안전기준에 적합하였음을 의미합니다.

※ 주의

책 모서리에 다칠 수 있으니 주의하시기 바랍니다.

부주의로 인한 사고의 경우 책임지지 않습니다.

8세 미만의 어린이는 부모님의 관리가 필요합니다.

똑 똑 한

하루
한자

1 단계
C
8급 기초3

구성과 활용 방법

한 주 미리보기

미리보기 만화

미리보기 활동

일일 학습

그림을 보며
오늘 배울 한자를 만나요.

QR 코드 속 영상을 보며
한자를 따라 써요.

재미있는 만화로 생활 속 한자어를 익혀요.

핵심 문제로 기초 실력을 키워요.

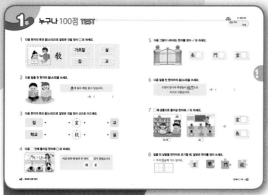

한 주 마무리

누구나 100점 TEST

한 주 동안 배운
내용을 확인해요.

특강

생각을 키워요

창의·융합·코딩 문제로
재미는 솔솔, 사고력은 쑥쑥!

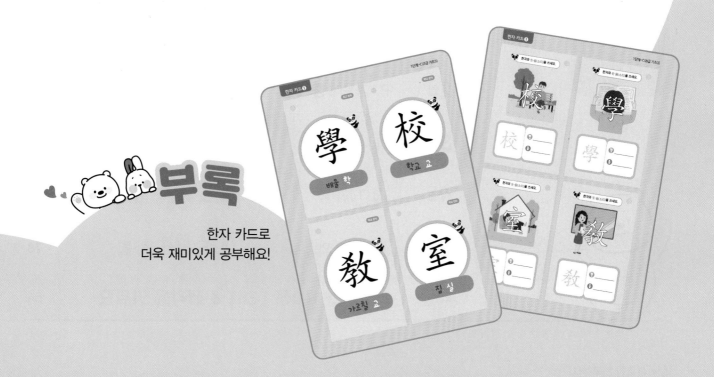

부록

한자 카드로
더욱 재미있게 공부해요!

3주

색깔 한자/여러
가지 뜻과 음

4주

여러 가지
뜻과 음

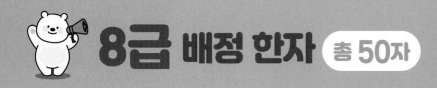
6 ● 똑똑한 하루 한자

💜 ☐은 1단계-C 학습 한자입니다.

教	校	九	國	軍
가르칠 교	학교 교	아홉 구	나라 국	군사 군
金	南	女	年	大
쇠금 / 성 김	남녘 남	여자 녀	해 년	큰 대
東	六	萬	母	木
동녘 동	여섯 륙	일만 만	어머니 모	나무 목
門	民	白	父	北
문 문	백성 민	흰 백	아버지 부	북녘 북 / 달아날 배
四	山	三	生	西
넉 사	메 산	석 삼	날 생	서녘 서
先	小	水	室	十
먼저 선	작을 소	물 수	집 실	열 십
五	王	外	月	二
다섯 오	임금 왕	바깥 외	달 월	두 이
人	一	日	長	弟
사람 인	한 일	날 일	긴 장	아우 제
中	靑	寸	七	土
가운데 중	푸를 청	마디 촌	일곱 칠	흙 토
八	學	韓	兄	火
여덟 팔	배울 학	한국 / 나라 한	형 형	불 화

함께 공부할 친구들

주 미리보기 에서 만나요!

한자가 궁금해!
호기심 대장 바름

한자를 색칠해 봐!
마법 판다 팬돌이

본문 에서 만나요!

개구쟁이지만 마음
따뜻한 친구 벼리

씩씩하고
쾌활한 소녀 다은

무엇이든 대답하는
척척박사 노을

1주에는 무엇을 공부할까? ❶

1일 學 배울 학 　 **2**일 校 학교 교 　 **3**일 教 가르칠 교

4일 室 집 실 　 **5**일 門 문 문

한자를 색칠해 봐!

學

천재초등학교

2학년 3반

김바름 학생

교실 입장

와! 한글로 바뀌었다!

천재초등학교

2학년 3반

김바름 학생

교실 입장

딸깍

이걸 누르면 되는구나.

바름아, 안녕!

선생님, 안녕하세요!

애들아, 안녕!

✱ 이번 주에 배울 한자들이 그림 속에 숨어 있어요. 보기 를 참고해서 한자를 찾아보세요.

보기

學 배울학   校 학교교   敎 가르칠교   室 집실   門 문문

學 배울 학

🔍 다음 글을 읽고, 오늘 배울 한자를 확인해 보세요.

오늘 배울 한자

學

배울 학

우리는 학(學)교에 갑니다.
학(學)교에서는 선생님께 글을 배우고[學],
지켜야 할 예절도 배웁니다[學].
친구들과는 같이 점심을 먹고,
뛰어놀기도 하며 사이좋게 지냅니다.
오늘도 발걸음 가볍게 학(學)교에 갑니다.

배울 학

[아이들이 양손에 책을 들고 있는 모습을
나타낸 글자로, **배우다**를 뜻해요.]

QR을 보며 따라 써요.

1
주

🔍 **연하게 쓰인 한자를 따라 써 본 후, 빈칸에 바르게 쓰세요.**

學	學	學	學
배울 학	배울 학	배울 학	배울 학
배울 학	배울 학	배울 학	배울 학

學 배울 학

한자어를 익혀요

벼리야, 일어났니?
학교(學校) 가야지!

벼리야, 아침밥
먹게 일어나자~.

엄마 아빠도 참.
나도 이제 한 살 더
먹었어요.

하하,
우리 아들이
다 컸네.

학교에 동생들이 생겼다고
어깨에 힘이 잔뜩 들어갔네.

얼른 가서 동생들이랑
축구도 하고, 컴퓨터도 배우고
싶어요.

어휴, 놀 생각만 하지?
그래서 대학(大學)엔 가겠어?

누나, 난 아직
초등학생(學生)이야. 그건 누나가
걱정해야 할 문제고.

뭐?
이제!

'學(배울 학)'이 들어간 한자어를 알아봅시다.

 한글로 써 보아요.

 한자로 써 보아요.

학생에게 계속적으로 교육을 실시하는 기관

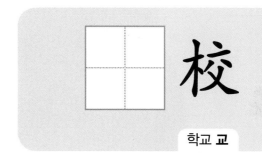

학교 교

고등 교육을 베푸는 교육 기관

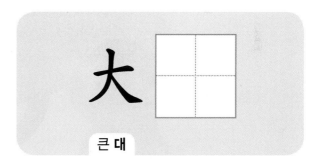

큰 대

학교에 다니며 공부하는 사람

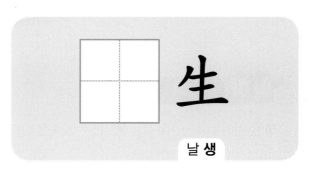

날 생

學 배울 학

1 요정은 '學'의 뜻이나 음(소리)이 쓰여 있는 사과만 따먹을 수 있어요. 요정이 먹을 수 있는 사과에 ◯표 하세요.

아하! 이렇게 쓰는구나!

'學'은 아이들이 양손에 책을 들고 있는 모습을 나타낸 한자예요.

기초 집중 연습

2 ◯에 알맞은 글자를 넣어 낱말을 만드세요.

학교에 다니며
공부하는 사람

학생에게 계속적으로
교육을 실시하는 기관

◯생

◯교

3 다음 밑줄 친 한자의 음(소리)을 쓰세요.

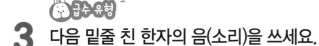

내일이면 방학이 끝나고 <u>學</u>교에 갑니다. → (   )

4 다음 밑줄 친 말에 해당하는 한자를 보기 에서 찾아 그 번호를 쓰세요.

보기
①生   ②學   ③大

• 미국에 영어를 <u>배우러</u> 왔습니다. → (   )

校 학교 교

🔍 다음 글을 읽고, 오늘 배울 한자를 확인해 보세요.

우리 학교(校)는 크진 않지만, 운동장이 있어 축구도 할 수 있고,
친구들과 마음껏 뛰어놀 수도 있어요.
학교(校) 앞에는 개울이 있어 가재도 잡을 수 있고,
뒤에는 산이 있어서 다람쥐도 볼 수 있어요.

오늘 배울 한자

校
학교 교

학교 교

구부러진 나무를 바로잡는 모습을 나타낸 글자로, 사람을 올바르게 이끄는 **학교**를 뜻해요.

QR을 보며 따라 써요!

1주

🔍 **연하게 쓰인 한자를 따라 써 본 후, 빈칸에 바르게 쓰세요.**

校	校	校	校
학교 교	학교 교	학교 교	학교 교
학교 교	학교 교	학교 교	학교 교

여러분, 반가워요.

교장(校長) 선생님, 안녕하세요!

딩동♪댕동~

자, 오늘 봉사 활동으로 우리 학교 주변을 깨끗하게 청소 하려고 합니다. 여러분도 좋지요?

네!

5명은 운동장을 청소하고, 나머지 학생들은 교문(校門) 밖의 개울에서 쓰레기를 주워 보세요.

아야! 가재가 물었어!

으악! 이건 뭐야?

헥헥! 힘들어. 그래도 우리 모교(母校)가 될 거니까, 깨끗이 해야지.

공부보다는 이게 더 재밌어! 흐흐.

🔍 '校(학교 교)'가 들어간 한자어를 알아봅시다.

 **교** 한글로 써 보아요.

 **校** 한자로 써 보아요.

○장

학교의 으뜸 직위에 있는 사람

長

긴 **장**

○문

학교의 문

門

문 **문**

모○

자신이 다니거나 졸업한 학교

母

어머니 **모**

2일

校 학교 교

1 공에 쓰여 있는 한자의 뜻과 음(소리)을 보기 에서 찾아 그 번호를 쓰세요.

보기

① 학교 교 　　② 배울 학 　　③ 나무 목

🐰 **아하! 이렇게 푸는구나!**

우리는 학교에서 여러가지를 배우고 있지요.

기초 집중 연습

2 다음 뜻에 해당하는 낱말을 찾아 선으로 이으세요.

학교의 으뜸 직위에
있는 사람

•

교문

학교의 문

•

교장

3 보기와 같이 다음 한자의 뜻과 음(소리)을 쓰세요.

> 보기
>
> 學 ➡ 배울 학

• 校 ➡ (   )

4 다음 밑줄 친 낱말에 해당하는 한자어를 보기에서 찾아 그 번호를 쓰세요.

> 보기
>
> ① 母校   ② 校長   ③ 校門

• 어머니는 <u>모교</u>의 선생님이 되셨습니다. ➡ (   )

教 가르칠 교

🔍 다음 글을 읽고, 오늘 배울 한자를 확인해 보세요.

오늘 배울 한자

教

가르칠 교

수업 시작 종이 울렸어요.
이제 교(教)실로 들어가야 해요.
오늘은 선생님이 교(教)과서에 없는
인공 지능에 대해 가르쳐[教]
주신다고 했어요. 인공 지능 로봇이
가르쳐[教] 주면 더 좋을 텐데.

가르칠 교

선생님이 한 손에 회초리를 들고 학생을 지도하는 모습을 나타낸 글자로, **가르치다** 를 뜻해요.

QR을 보며 따라 써요!

🔍 **연하게 쓰인 한자를 따라 써 본 후, 빈칸에 바르게 쓰세요.**

教	教	教	教
가르칠 교	가르칠 교	가르칠 교	가르칠 교
가르칠 교	가르칠 교	가르칠 교	가르칠 교

1주

教 가르칠 교

한자어를 익혀요

아악!

벌떡

모두 조용~!

하하하

ㅋㅋㅋ

벼리야, 무슨 꿈을 꾸길래 그렇게 놀라니?

삐빅

뚜

교실(敎室)에서 로봇이 수업을 하고 있었어요!

삐, 삐빅 내가 아·직·도 선·생·님으로 보·이·냐. 인·간, 삐빅.

확

삐빅

악!

장난이야. 그런데 정말 선생님 대신 로봇이 교육(敎育) 할 때가 오겠지.

싫어요. 저희는 선생님한테 배울래요~.

하하하, 그래. 벼리는 잠 깰 때까지 교과서(敎科書) 들고 서 있어라.

네.

쩝…

하하

하하

'教(가르칠 교)'가 들어간 한자어를 알아봅시다.

 한글로 써 보아요.

 한자로 써 보아요.

학습 활동이 이루어지는 방

집 실

지식 등을 가르치며 인격을 길러 줌.

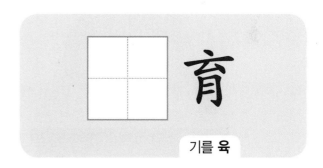

기를 육

학교에서 사용하기 위해 만든 책

과목 과   글 서

教 가르칠 교

기초 실력을 키워요

1 칠판에 쓰여 있는 한자의 뜻과 음(소리)을 바르게 쓴 학생에게 ✓표 하세요.

教 학교 교
校 교문 교

教 가르칠 교
校 학교 교

아하! 이렇게 푸는구나!

뜻이 다르지만 소리는 같은 한자예요.

기초 집중 연습

2 낱말에 대한 설명이 맞으면 '예', 틀리면 '아니요'에 ◯표 하세요.

'교실'은 '학습 활동이 이루어지는 방'을 뜻합니다.

예 / 아니요

'교과서'는 '그날그날 겪은 일이나 생각을 적어 놓은 글'을 뜻합니다.

예 / 아니요

3 보기와 같이 다음 한자의 뜻과 음(소리)을 쓰세요.

> **보기**
>
> 校 ➡ 학교 교

• 教 ➡ (   )

4 다음 밑줄 친 한자의 음(소리)을 보기에서 찾아 그 번호를 쓰세요.

> **보기**
>
> ① 교   ② 학   ③ 실

• 우리 반 **教**실은 3층에 있습니다. ➡ (   )

室 집 실

🔍 다음 글을 읽고, 오늘 배울 한자를 확인해 보세요.

오늘은 친구와 학교 도서실(室)에 갔어요.
도서실(室)은 교무실(室)과 교장실(室)을
지나가야 있어요. 도서실(室)에서는 책을
읽거나 빌릴 수 있고, 공부도 할 수 있어서 좋아요.
참! 잊지 마세요.
도서실(室)에서는 음식을 먹거나 떠들면 안 돼요.

오늘 배울 한자

室
집 실

집 실

집에 이르러서 휴식을 취하는 모습을 나타
낸 글자로, 집을 뜻해요.

QR을 보며 따라 써요!

🔍 **연하게 쓰인 한자를 따라 써 본 후, 빈칸에 바르게 쓰세요.**

室	室	室	室
집 실	집 실	집 실	집 실
집 실	집 실	집 실	집 실

室 집 실

한자어를 익혀요

어머, 오늘은 날씨가 너무 좋네!

선생님, 날씨도 좋은데 밖에서 수업하고 싶어요. 답답한 실내(室內)보다는 공부가 더 잘될 것 같아요!

그럴까? 그럼 다들 책을 들고 실외(室外)로 나갈까요?

네!

히히

자, 교과서 20쪽을 펴세요.

화

창

♬~

국어

네? 선생님, 책 들고 와야 해요? 안 들고 왔는데요.

밖에서는 공부가 더 잘될 것 같다더니.

벼리는 축구공만 가지고 나왔어? 축구공 들고 교무실(教務室)에 가 있어.

네.

키득

키득 키득

'室(집 실)'이 들어간 한자어를 알아봅시다.

 한글로 써 보아요.

 한자로 써 보아요.

방이나 건물 따위의 안

안 **내**

방이나 건물 따위의 밖

바깥 **외**

선생님이 여러 가지 일을 맡아보는 곳

가르칠 **교**   힘쓸 **무**

室 집 실

1 ☐에 공통으로 들어갈 한자를 보기 에서 찾아 그 번호를 쓰세요.

보기
① 敎　　② 校　　③ 室

선생님은 교 ☐ 에서 학생들과 함께 있습니다.

벼리는 ☐ 내 에 있고, 다은이는 ☐ 외 에 있습니다.

🐰**아하!** 이렇게 푸는구나!

'집'을 뜻하는 한자를 생각해 보세요.

 여휘 확인

2 ◯에 알맞은 글자를 넣어 낱말을 만드세요.

선생님이 여러 가지 일을
맡아 하는 곳

방이나 건물 따위의 안

교무◯

◯내

급수 유형

3 보기와 같이 다음 한자의 뜻과 음(소리)을 쓰세요.

> 보기
>
> 教 → 가르칠 교

· 室 → (   )

급수 유형

4 다음 밑줄 친 음(소리)에 해당하는 한자를 보기에서 찾아 그 번호를 쓰세요.

> 보기
>
> ① 校   ② 教   ③ 室

· 책을 빌리러 도서실에 갑니다. → (   )

門 문 문

🔍 다음 글을 읽고, 오늘 배울 한자를 확인해 보세요.

오늘 배울 한자

門

문 문

주말에 가족들과
할머니 집에 다녀왔습니다.
할머니 집은 한옥입니다. 넓은 마당이 있고,
옛날 양반집 대문(門) 같은 큰 문(門)도 있습니다.
그리고 창문(門)이 커서 햇살이 잘 비칩니다.

문 문

두 개의 문짝을 달아 놓은 대문 모양을 나타낸 글자로, 문을 뜻해요.

QR을 보며 따라 써요!

1주

🔍 **연하게 쓰인 한자를 따라 써 본 후, 빈칸에 바르게 쓰세요.**

門	門	門	門
문 문	문 문	문 문	문 문
문 문	문 문	문 문	문 문

저 문은 광화문이고, 문 안쪽이 경복궁입니다. 원래는 조선 시대에 궁중에서 의식을 치르던 곳이었는데, 나중에는 왕이 사셨던 곳이에요.

자, 천천히 내리세요.

음, 여긴 누구 집이길래 대문(大門)이 이렇게 크고 멋있는가~. 여기가 정문(正門)인가?

예, 정문이옵니다, 혹시 누가 살던 집인지 아시옵니까?

당연하지, 양반이 살던 집 아니겠느냐?

왕이 살던 곳이거든. 넌 옛날에 태어났으면 문전(門前)에서 쫓겨 났을지도 몰라.

그래? 넌 어떻게 알아?

버스에서 내가 설명해 줬으니까 알지. 벼리야, 앞으로도 선생님 설명 안 들을래?

불쑥

깜짝

하 하 하 하

'門(문 문)'이 들어간 한자어를 알아봅시다.

문 한글로 써 보아요.

門 한자로 써 보아요.

대 ◯

큰 문. 한 집의 주가 되는 출입문

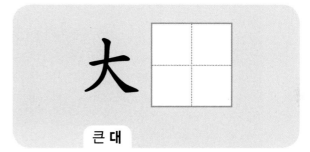

大 ☐

큰 대

정 ◯

건물 정면의 주가 되는 문

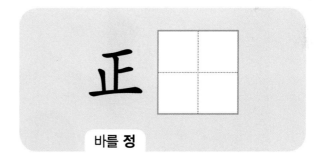

正 ☐

바를 정

◯ 전

문의 앞쪽

☐ 前

앞 전

5일 門 문 문

1 '門'의 알맞은 뜻과 음(소리)을 찾아 ◯표 하세요.

🐰**아하!** 이렇게 푸는구나!

'門'은 두 개의 문짝을 달아 놓은 모양을 나타낸 글자예요.

2 다음 뜻에 해당하는 한자어를 찾아 선으로 이으세요.

건물 정면의
주가 되는 문

· · 大門

한 집의 주가
되는 출입문

· · 正門

3 다음 밑줄 친 말에 해당하는 한자를 보기에서 찾아 그 번호를 쓰세요.

보기
① 教 ② 室 ③ 門

· 집을 비울 때는 <u>문</u>을 꼭 잠가야 합니다. → (   )

4 다음 밑줄 친 한자어의 음(소리)을 보기에서 찾아 그 번호를 쓰세요.

보기
① 문전 ② 대문 ③ 정문

· 사람들이 <u>門前</u>에 늘어서 있습니다. → (   )

누구나 100점 TEST

1 다음 한자의 뜻과 음(소리)으로 알맞은 것을 찾아 ⃝표 하세요.

| 敎 | 가르칠 | 실 |
| | 집 | 교 |

2 다음 밑줄 친 한자의 음(소리)을 쓰세요.

學생 둘이 책을 읽고 있습니다.

→ (   )

3 다음 한자의 뜻과 음(소리)으로 알맞은 것을 찾아 선으로 이으세요.

집   •   • 室 •   • 교

학교 •   • 校 •   • 실

4 다음 ☐ 안에 들어갈 한자에 ⃝표 하세요.

여름 방학 때 방과 후 영어 ☐실이 열렸습니다.

敎 / 室

5 다음 그림이 나타내는 한자를 찾아 ✔표 하세요.

 長 ☐

 門 ☐

 室 ☐

6 다음 밑줄 친 한자어의 음(소리)을 쓰세요.

수업이 끝나자 학생들이 <u>校門</u>으로
우르르 나왔습니다.

→ (   )

7 ☐에 공통으로 들어갈 한자에 ✔표 하세요.

도서 ☐

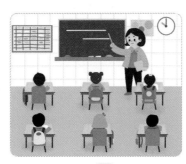
교 ☐

→ 室 ☐

 長 ☐

8 밑줄 친 낱말을 한자어로 표기할 때, 알맞은 한자를 찾아 쓰세요.

● 어서 <u>학교</u>에 가고 싶어요.

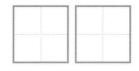

 室

 學

 門

 校

📖 국어+한문 다음 만화를 읽고, 성어의 뜻을 생각해 보세요.

學 行 一 致

배울 **학**　다닐 **행**　한 **일**　이를 **치**

종례 시간

오늘 국어 시간에 뭘 배웠죠?

어른들께 인사를 잘하라고 배웠어요!

안녕하세요!

인사도 잘하고 착하네.

선생님께 배운 대로 했더니 칭찬을 받았어.

맞아. 배우는 것도 중요하지만 배운 것을 실천하는 것이 더 중요하다 하셨어.

◆ 성어의 뜻을 살펴보며 빈칸에 알맞은 한자를 채우세요.

→ '배움과 실천이 하나로 들어맞다.'라는 뜻으로 배운 대로 실행함을 이르는 말

코딩+한문 컴퓨터에서 한자 입력하는 방법을 읽고, 예시 와 같이 밑줄 친 음(소리)의 한자를 쓰기 위한 명령어를 쓰세요.

[컴퓨터에서 한자 입력하는 방법]

1. 한자의 음(소리) 입력하기

예를 들어 '十(열 십)'을 쓰고 싶으면 '十'의 음(소리)인 '십'을 입력해요.

2. 한자 키 누르기

그러고 나서 한자 키를 누르면 3번처럼 한자 목록이 뜰 거예요.

3. 한자 목록에서 해당하는 한자 찾고 바꾸기(D) 버튼 누르기

한자를 찾아 클릭하고, 아래의 키를 누르면 한자의 뜻도 알 수 있어요.

◑ 정답 6쪽

예시

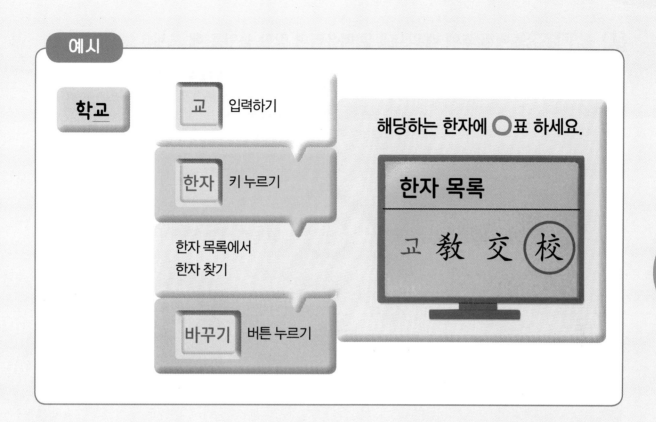

학교

교 입력하기

한자 키 누르기

한자 목록에서
한자 찾기

바꾸기 버튼 누르기

해당하는 한자에 ○표 하세요.

한자 목록

교 敎 交 校

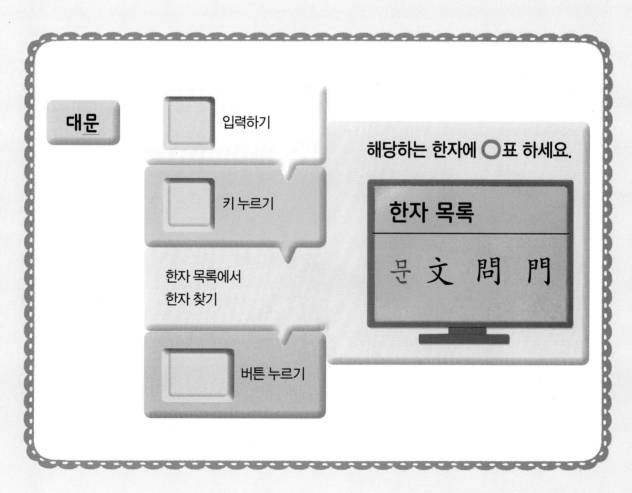

대문

입력하기

키 누르기

한자 목록에서
한자 찾기

버튼 누르기

해당하는 한자에 ○표 하세요.

한자 목록

문 文 問 門

융합+한문 이번 주에 배운 내용을 떠올리며 말판 놀이를 해 보세요.

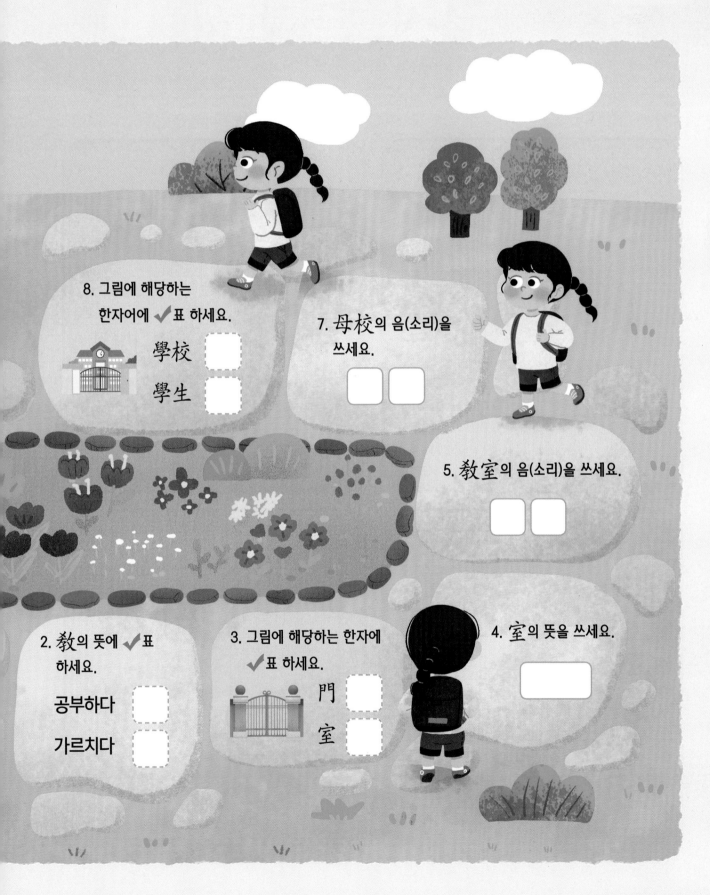

8. 그림에 해당하는
한자어에 ✔표 하세요.

學校 ☐

學生 ☐

7. 母校의 음(소리)을
쓰세요.

☐ ☐

5. 敎室의 음(소리)을 쓰세요.

☐ ☐

2. 敎의 뜻에 ✔표
하세요.

공부하다 ☐

가르치다 ☐

3. 그림에 해당하는 한자에
✔표 하세요.

門 ☐

室 ☐

4. 室의 뜻을 쓰세요.

☐

2주에는 무엇을 공부할까? ❶

1일 **韓** 한국/나라 한　　**2**일 **中** 가운데 중　　**3**일 **日** 날 일

4일 **國** 나라 국　　**5**일 **外** 바깥 외

한자를 색칠해 봐!

國

국외선 시간표

일본	➡	한국	
출발 시간	오전 9시	도착 시간	오전 11시
중국	➡	한국	
출발 시간	오전 8시	도착 시간	오전 10시

와! 한글로 바뀌었다!

외삼촌은 10시에 오시는구나. 맛있는 중국 음식을 가져오시면 좋겠다.

9:50

외삼촌이 도착하실 시간이다. 늦지 않게 얼른 가자.

응, 얼른 가자!

2주

⭐ 이번 주에 배울 한자들이 그림 속에 숨어 있어요. 보기를 참고해서 한자를 찾아보세요.

보기

韓 한국/나라 한   中 가운데 중   日 날 일   國 나라 국   外 바깥 외

◑ 정답 7쪽

韓 한국/나라 한

🔍 다음 글을 읽고, 오늘 배울 한자를 확인해 보세요.

우리가 살고 있는 우리나라는
한(韓)국입니다.
한(韓)국은 중국과 일본 사이에 있습니다.
한(韓)국의 아름다운 문화는
외국에서도 인기가 많다고 합니다.
자랑스러운 우리 문화를
잘 지키고 싶습니다.

오늘 배울 한자

韓
한국/나라 한

한국/나라 한

[햇빛이 성을 비추는 모습을 그린 글자로, 한국 또는 나라를 뜻해요.]

QR을 보며 따라 써요!

🔍 **연하게 쓰인 한자를 따라 써 본 후, 빈칸에 바르게 쓰세요.**

韓	韓	韓	韓
한국/나라 한	한국/나라 한	한국/나라 한	한국/나라 한
한국/나라 한	한국/나라 한	한국/나라 한	한국/나라 한

2주

韓 한국/나라 한

나라 한자

한자어를 익혀요

세계적으로 한식(韓食)과 한복(韓服)에 대한 인기가 점점 많아지고 있습니다.

우리나라 문화가 외국에서 인기가 많다니, 기분이 좋구나.

그러게요. 뿌듯하네요.

그래서 한국(韓國)으로 유학을 오는 사람들도 많대요.

그럼 우리가 우리 문화에 대해 더 잘 알아야겠네?

네, 아빠. 그러니까 저도 한복 사 주세요.

짝짝

하하하! 그래. 다은이가 부쩍 자라서 어릴 때 입던 한복이 작아지긴 했더라. 가자!

♬

잠깐만! 그 전에 이 엄마가 정성껏 차린 한식부터 먹고 갑시다~.

네!

척

척

한자어 활용

'韓(한국/나라 한)'이 들어간 한자어를 알아봅시다.

 한글로 써 보아요.

 한자로 써 보아요.

우리나라 고유의 음식이나 식사

밥/먹을 **식**

우리나라의 고유한 옷

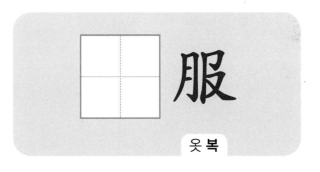
옷 **복**

'대한민국'을 줄여 이르는 말

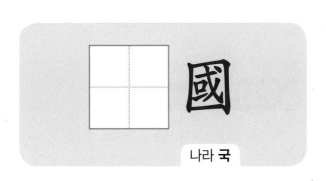
나라 **국**

韓 한국/나라 한

1 그림 속 한자의 뜻과 음(소리)이 쓰여 있는 딱지를 찾아 ◯표 하세요.

아하! 이렇게 푸는구나!

'한국'을 나타낼 때도 쓰는 한자예요.

기초 집중 **연습**

어휘 확인

2 ⭕에 알맞은 글자를 넣어 낱말을 만드세요.

우리나라 고유의 옷

우리나라 고유의 음식

⭕복

⭕식

급수 유형

3 보기와 같이 다음 한자의 뜻과 음(소리)을 쓰세요.

> 보기
>
> 門 ➡ 문 문

• 韓 ➡ (   )

급수 유형

4 다음 밑줄 친 음(소리)에 해당하는 한자를 보기에서 찾아 그 번호를 쓰세요.

> 보기
>
> ① 學   ② 韓   ③ 室

• 한복은 우리나라 고유의 옷입니다. ➡ (   )

中 가운데 중

🔍 다음 글을 읽고, 오늘 배울 한자를 확인해 보세요.

오늘 배울 한자

中

가운데 중

우리나라를 사이[中]에 두고
서해 건너에는 중(中)국이 있고,
동해 건너에는 일본이 있습니다.
중(中)국은 땅이 엄청 넓어서
음식도, 볼거리도 많습니다.
그리고 인구도 세계에서 가장 많다고 해요.

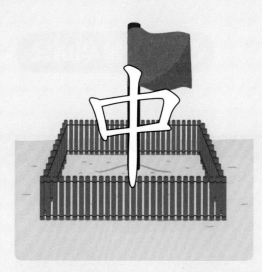

가운데 중

[군사 진영의 중앙에 꽂혀 있는 깃발의 모습을 본뜬 글자로, **가운데**를 뜻해요.]

QR을 보며 따라 써요!

🔍 **연하게 쓰인 한자를 따라 써 본 후, 빈칸에 바르게 쓰세요.**

中	中	中	中
가운데 중	가운데 중	가운데 중	가운데 중
가운데 중	가운데 중	가운데 중	가운데 중

2주

中 가운데 중

🔍 '中 (가운데 중)'이 들어간 한자어를 알아봅시다.

중 한글로 써 보아요.

○ 국

아시아 동부에 있는 나라

中 한자로 써 보아요.

☐ 國

나라 **국**

집 ○

한곳을 중심으로 하여 모임.

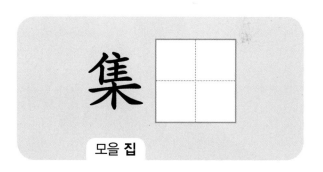

集 ☐

모을 **집**

○ 학 생

중학교에 다니는 학생

☐ 學 生

배울 **학**   날 **생**

2주

2일

中 가운데 중

1 '中'의 뜻과 음(소리)을 바르게 말한 친구를 찾아 ✔표 하세요.

한국 한 ☐

문 문 ☐

가운데 중 ☐

🐰**아하!** 이렇게 푸는구나!

'中'은 군사 진영의 중앙에 꽂혀 있는 모습을 본뜬 글자예요.

어휘 확인

2 다음 뜻에 해당하는 낱말을 찾아 선으로 이으세요.

아시아 동부에 있는 나라

•

• 중국

중학교에 다니는 학생

•

• 중학생

급수 유형

3 다음 밑줄 친 한자의 뜻을 **보기** 에서 찾아 그 번호를 쓰세요.

> **보기**
>
> ① 밖   ② 집   ③ 가운데

• 나는 中국 음식 중에 탕수육을 가장 좋아합니다. → (   )

급수 유형

4 다음 밑줄 친 음(소리)에 해당하는 한자를 **보기** 에서 찾아 그 번호를 쓰세요.

> **보기**
>
> ① 中   ② 韓   ③ 室

• 너무 시끄러워서 집중이 되지 않습니다. → (   )

日 날 일

🔍 다음 글을 읽고, 오늘 배울 한자를 확인해 보세요.

오늘 배울 한자

日

날 일

지난주 토요일(日)에 엄마랑 시장에 갔다가
일(日)본 관광객들을 봤어요.
그들은 부침개랑 칼국수를 먹고 있었는데,
놀라는 표정을 지으며 열심히 먹는 모습을 보니
아마 엄청 맛있었나 봐요.
일(日)본 사람들도 한국 음식을 좋아하는 것 같아요.

날 일

햇살이 퍼지는 모습을 본뜬 글자예요. 그래서 해를 뜻해요. 해가 떠 있는 동안이 하루이니까 날도 뜻하게 되었어요.

QR을 보며 따라 써요!

🔍 **연하게 쓰인 한자를 따라 써 본 후, 빈칸에 바르게 쓰세요.**

日	日	日	日
날 일	날 일	날 일	날 일
날 일	날 일	날 일	날 일

2주

'日 (날 일)'이 들어간 한자어를 알아봅시다.

일 한글로 써 보아요.

日 한자로 써 보아요.

휴○

일을 하지 않고 쉬는 날

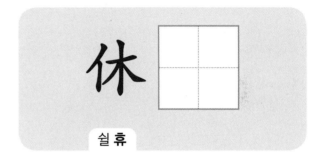

休

쉴 휴

매○

하루하루의 모든 날. 날마다

每

매양 매

○본

아시아 동쪽 끝에 있는 나라

本

근본 본

1 그림 속 한자의 뜻과 음(소리)을 보기에서 찾아 그 번호를 쓰세요.

보기

① 한국/나라 한   ② 날 일   ③ 가운데 중

🐰**아하!** 이렇게 푸는구나!

중국과 일본을 나타낼 때 사용하는 한자들이에요.

2 ○에 알맞은 글자를 넣어 낱말을 만드세요.

아시아 동쪽 끝에 있는 나라

일하지 않고 쉬는 날

하루하루의 모든 날

◯ 본

휴 ◯

매 ◯

3 보기와 같이 다음 한자의 뜻과 음(소리)을 쓰세요.

보기
> 韓 → 한국/나라 한

• 日 → (　　　　　　　)

4 다음 밑줄 친 음(소리)에 해당하는 한자를 보기에서 찾아 그 번호를 쓰세요.

보기
> ① 日　　② 中　　③ 韓

• 나는 매일 아침 운동을 한 후 우유를 한 컵 마십니다. → (　　　　　　　)

國 나라 국

 다음 글을 읽고, 오늘 배울 한자를 확인해 보세요.

세계에는 많은 나라[國]들이
있다는 것을 배웠습니다.
미국(國), 일본, 중국(國) 정도만 알고
있었는데, 이제 더 많은 나라[國]들에 대해
알아보고 싶어졌습니다.
또 우리와는 다르게 생긴 사람들이
사는 나라[國]에 가 보고 싶다는
꿈이 생겼습니다.

오늘 배울 한자

國

나라 국

나라 국

백성들과 땅을 지키기 위해 국경선 안을 지키는 모습을 나타낸 글자로, **나라**를 뜻해요.

QR을 보며 따라 써요!

🔍 **연하게 쓰인 한자를 따라 써 본 후, 빈칸에 바르게 쓰세요.**

國	國	國	國
나라 국	나라 국	나라 국	나라 국
나라 국	나라 국	나라 국	나라 국

2주

國 나라 국

한자어를 익혀요

오늘은 '국토(國土) 사랑, 나라 사랑'에 대해 공부해 봐요. 이 사진의 주인공들은 나라를 지키기 위해 노력하신 위인들이에요. 누구일까요?

'나의 죽음을 적에게 알리지 마라!' 목숨을 걸고 나라를 지키신 이순신 장군이요!

모국(母國)의 독립을 위해 목숨을 바치신 유관순이요!

세종대왕이요.

네. 맞아요. 국어(國語) 시간에 세종대왕은 한글을 만드신 왕이라고 설명했었어요.

이 밖에 또 누가 있을까요?

그래, 벼리가 발표해 볼까?

아, 저는 발표가 아니라, 화장실 좀 다녀와도 될까요?

으윽!

'國(나라 국)'이 들어간 한자어를 알아봅시다.

 한글로 써 보아요.

 한자로 써 보아요.

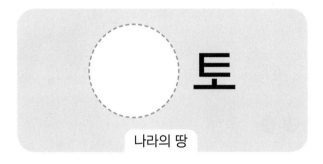

토

나라의 땅

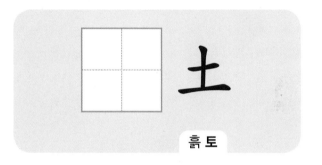

土

흙 토

모

자기가 태어난 나라

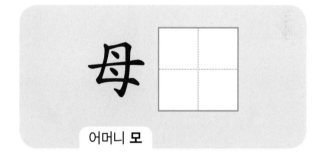

母

어머니 모

어

한 나라의 국민이 쓰는 말

語

말씀 어

2주

4일 나라 한자

國 나라 국

1 그림 속의 뜻과 음(소리)에 해당하는 한자를 보기 에서 찾아 그 번호를 쓰세요.

보기

① 韓   ② 日   ③ 國

한국/나라 한

나라 국

날 일

아하! 이렇게 푸는구나!

'한국'과 '일본'의 한자를 생각해 보세요.

◐ 정답 9쪽

기초 집중 연습

어휘 확인

2 그림 속 내용이 맞으면 '예', 틀리면 '아니요'에 ○표 하세요.

'국어'는 '한 나라의
국민이 쓰는 말'입니다.
예
아니요

'국토'는 '넓은 땅'
이라는 뜻입니다.
예
아니요

급수 유형

3 보기 와 같이 다음 한자의 뜻과 음(소리)을 쓰세요.

보기

日 → 날 일

- 國 → (   )

급수 유형

4 다음 밑줄 친 음(소리)에 해당하는 한자를 보기 에서 찾아 그 번호를 쓰세요.

보기

① 室　　② 國　　③ 中

- 그는 박사가 되어 모<u>국</u>으로 돌아갔습니다. → (   )

外 바깥 외

🔍 다음 글을 읽고, 오늘 배울 한자를 확인해 보세요.

오늘은 우리 마을에 외(外)국인이 두 명 왔습니다.
우리나라 농사에 관심이 있다며, 마을 사람들에게
벼농사, 채소 농사 등 이것저것 물어보았습니다.
우리나라의 농사가 외(外)국에서도
유명하다니 참 자랑스럽습니다.

오늘 배울 한자

外

바깥 외

바깥 외

[밖으로 나가 밤하늘을 보며 운세를 알아보
던 데서 **바깥**이라는 뜻을 나타내요.]

QR을 보며 따라 써요!

🔍 **연하게 쓰인 한자를 따라 써 본 후, 빈칸에 바르게 쓰세요.**

外	外	外	外
바깥 외	바깥 외	바깥 외	바깥 외
바깥 외	바깥 외	바깥 외	바깥 외

2주

5일

나라 한자

外 바깥 외

노을아, 학교 끝나고 축구하자!

미안. 오늘은 집에 바로 가야 해. 어제 해외(海外)에서 삼촌이 오셨거든.

우와! 해외에서 어떤 일을 하시는데?

우리나라의 농사법을 국외(國外)에 알리고 계셔!

와~

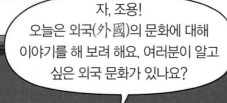

자, 조용! 오늘은 외국(外國)의 문화에 대해 이야기를 해 보려 해요. 여러분이 알고 싶은 외국 문화가 있나요?

전 일본의 만화랑 애니메이션 문화를 알고 싶어요!

전 중국의 음식 문화에 대해서요!

전 프랑스의 예술 문화요!

지우, 너는 어떠니?

네? 저는 한국 문화요.

우하하하

'外(바깥 외)'가 들어간 한자어를 알아봅시다.

해 ◯
바다의 밖. 다른 나라

海 ⬚
바다 **해**

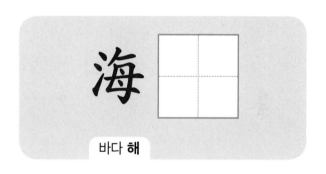

국 ◯
나라의 밖

國 ⬚
나라 **국**

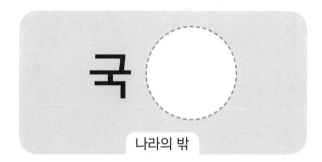

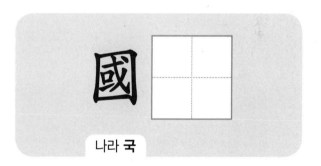

◯ 국
자기 나라가 아닌 다른 나라

⬚ 國
나라 **국**

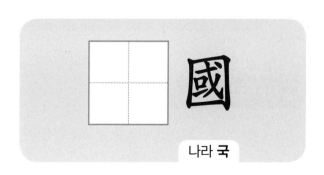

5일 外 바깥 외

기초 실력을 키워요

1 한자의 뜻과 음(소리)으로 알맞은 카드를 찾아 보기 와 같이 선으로 이으세요.

🐰 아하! 이렇게 푸는구나!

한자 카드와 뜻·음(소리) 카드를 잘 구별해서 묶어 보세요.

기초 집중 연습

2 ☐ 안에 공통으로 들어갈 한자에 ✔표 하세요.

　外 ☐

　國 ☐

　韓 ☐

3 다음 밑줄 친 말에 해당하는 한자를 보기 에서 찾아 그 번호를 쓰세요.

> 보기
>
> ① 外　　　② 内　　　③ 中

● 추운 날씨에 <u>바깥</u>에서 오래 놀았더니 감기가 들었습니다. ➔ (　　　　　)

4 다음 밑줄 친 한자어의 음(소리)을 보기 에서 찾아 그 번호를 쓰세요.

> 보기
>
> ① 외국　　　② 한국　　　③ 모국

● 자기 나라가 아닌 다른 나라를 <u>外國</u>이라고 합니다. ➔ (　　　　　)

누구나 100점 TEST

1 다음 한자의 뜻과 음(소리)을 보기 에서 찾아 그 번호를 쓰세요.

> 보기
>
> ① 나라 국 　　　② 바깥 외 　　　③ 날 일

國 (　　　) 　　日 (　　　) 　　外 (　　　)

2 다음 밑줄 친 한자어의 음(소리)을 쓰세요.

우리나라는 <u>國土</u>의 3면이 바다에 접해 있습니다. → (　　　　)

3 다음 □ 안에 들어갈 한자에 ○표 하세요.

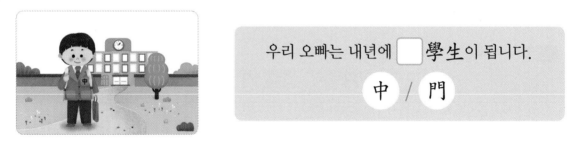

우리 오빠는 내년에 □學生이 됩니다.

中 / 門

4 다음 한자의 뜻과 음(소리)으로 알맞은 것을 찾아 ○표 하세요.

韓	한국	국
	국어	한

5 다음 한자의 뜻과 음(소리)으로 알맞은 것을 찾아 선으로 이으세요.

| 날 · | · 外 · | · 외 |
| 바깥 · | · 日 · | · 일 |

6 그림과 관계있는 한자어에 ✔표 하세요.

中國 ☐   日本 ☐

7 ☐에 공통으로 들어갈 한자에 ✔표 하세요.

☐복   ☐식   →   韓 ☐

日 ☐

8 다음 밑줄 친 한자의 음(소리)을 쓰세요.

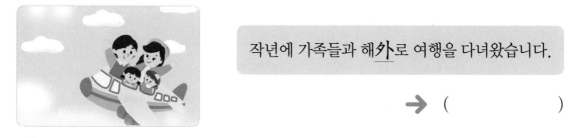

작년에 가족들과 해外로 여행을 다녀왔습니다.

→ (   )

📖 국어+한문 다음 만화를 읽고, 성어의 뜻을 생각해 보세요.

五里霧中

다섯 **오** 마을 **리** 안개 **무** 가운데 **중**

* 리(里)는 거리의 단위로, 1리는 400m에 해당하므로, 5리는 2km에 해당하는 거리예요.

2
주

◆ 성어의 뜻을 살펴보며 빈칸에 알맞은 한자를 채우세요.

➜ '5리나 되는 짙은 안개 속에 있다.'라는 뜻으로, 무슨 일에 대하여 방향이나 갈피를 잡을 수 없음을 이르는 말

코딩+한문 예시 와 같이 보기 의 화살표를 따라 갔을 때 만나는 한자를 차례로 조합해서 보물이 있는 나라를 알아보고, 그 나라의 한자어와 음(소리)을 쓰세요.

예시

보기

출발!

韓 中 國 도착!

한자어		음(소리)	
中	國	중	국

보기

출발!

中

韓

日

外

國

도착!

한자어			음(소리)	

2주 특강 생각을 키워요 ③

창의·융합·코딩

📖 수학+한문 지도와 가족들의 말을 참고하여 빈칸에 알맞은 답을 쓰세요. 지도에서 한 칸의 길이는 2cm입니다.

1 엄마가 가고 싶은 식당은 어느 나라의 요리를 파는 식당인지 **보기**에서 찾아 쓰세요.

보기

中國   韓國

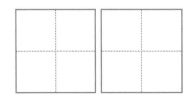

2 (1) 아빠 말의 ☐에 들어갈 한자의 뜻과 음(소리)을 쓰세요.

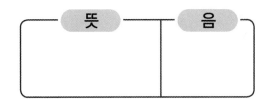

뜻	음

(2) 아빠가 가고 싶은 식당은 집으로부터 몇 cm 떨어져 있는지 쓰세요.

서쪽으로 (   )cm / 북쪽으로 (   )cm

3 학교에서 가장 가까운 식당은 어디인지 ☐에 한글로 쓰세요.

☐ 식 당

1. 지도 위의 ● 이 건물의 위치입니다.
   ● 에서 출발하세요.
2. 가장 짧은 거리로 찾아가세요.

1일 靑 푸를 청   **2**일 白 흰 백   **3**일 萬 일만 만

4일 長 긴 장   **5**일 女 여자 녀

한자를 색칠해 봐!

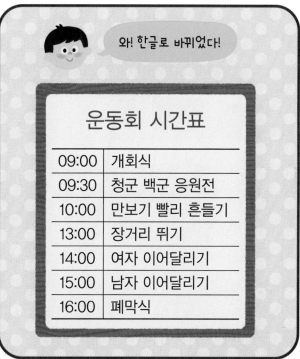

와! 한글로 바뀌었다!

운동회 시간표

09:00	개회식
09:30	청군 백군 응원전
10:00	만보기 빨리 흔들기
13:00	장거리 뛰기
14:00	여자 이어달리기
15:00	남자 이어달리기
16:00	폐막식

3주

남자 이어달리기는 여자 이어달리기 다음이구나!

운동회 시간표

09:00	개회식
09:30	청군 백군 응원전
10:00	만보기 빨리 흔들기
13:00	장거리 뛰기
14:00	여자 이어달리기
15:00	남자 이어달리기
16:00	폐막식

어? 바름아, 방금 여자 이어달리기가 끝난 것 같은데?

남자 이어달리기 선수들 나오세요!

그렇네. 다녀올게.

그래. 잘 뛰고 와. 파이팅!

⭐ 이번 주에 배울 한자들이 그림 속에 숨어 있어요. 보기 를 참고해서 한자를 찾아보세요.

보기

青 푸를 청　白 흰 백　萬 일만 만　長 긴 장　女 여자 녀

색깔 한자

靑 푸를 청

🔍 다음 글을 읽고, 오늘 배울 한자를 확인해 보세요.

학교에서 운동회가 있었어요.
전교생이 청(靑)팀과 백팀으로 나누어 시합을 벌였습니다.
벼리는 청(靑)팀으로 달리기 시합에 나갔고,
다은이는 박 터뜨리기 시합에 나갔어요.
우리는 열심히 응원했습니다.

오늘 배울 한자

靑
푸를 청

푸를 청

[우물과 초목처럼 맑고 푸름을 나타내는 글자로, **푸르다**를 뜻해요.]

QR을 보며 따라 써요!

🔍 **연하게 쓰인 한자를 따라 써 본 후, 빈칸에 바르게 쓰세요.**

靑	靑	靑	靑
푸를 청	푸를 청	푸를 청	푸를 청
푸를 청	푸를 청	푸를 청	푸를 청

3주

靑 푸를 청

한자어를 익혀요

여러분, 오늘은 청산(靑山) 아래 자리 잡은 우리 학교의 운동회 날입니다. 기대되나요?

네 네~

특별히 오늘은 여러분들에게 소개할 멋진 청년(靑年)들이 와 줬어요. 바로 여러분들의 선배들입니다. 박수!

여러분, 안녕하세요!

안녕하세요!

오랜만에 학교에 와서 씩씩하고 귀여운 여러분을 만나게 되어 반갑습니다.

안녕하세요, 여러분! 앞으로 청소년(靑少年)이 될 든든한 여러분과 함께 하게 되어 반가워요. 신나게 놀아 봐요.

와 와

야, 너희 왜 그래? 정신 차려!

'靑(푸를 청)'이 들어간 한자어를 알아봅시다.

청 한글로 써 보아요.   靑 한자로 써 보아요.

◯ 산

풀과 나무가 많은 푸른 산

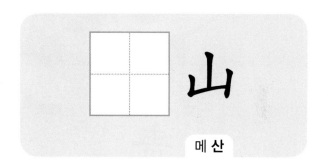

山

메 **산**

◯ 년

나이가 20대 정도인 남자

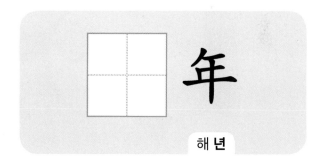

年

해 **년**

◯ 소년

청년과 소년

少 年

적을 **소**   해 **년**

색깔 한자

靑 푸를 청

1 '푸르다'라는 뜻을 가진 한자를 따라가 미로를 탈출하세요.

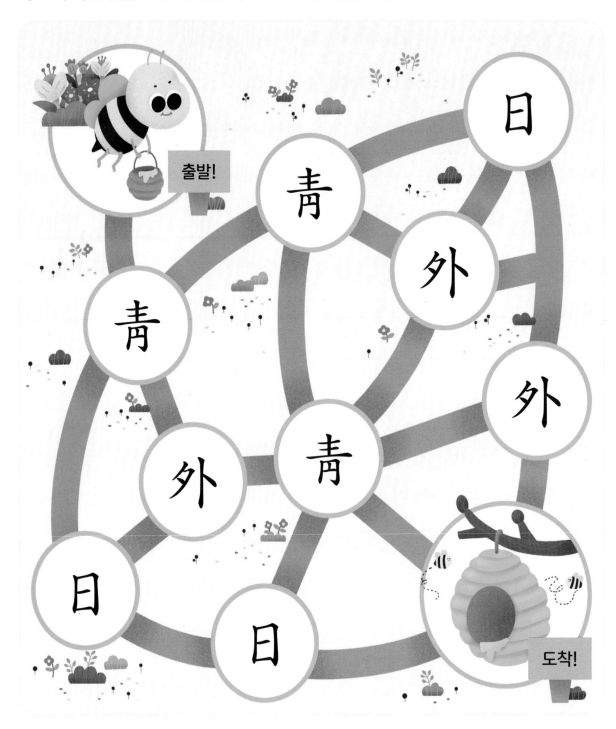

출발!

도착!

🐰 **아하!** 이렇게 푸는구나!

그림 안에는 '청', '외', '일'의 한자가 숨어 있어요.

2 ◯에 알맞은 글자를 넣어 낱말을 만드세요.

풀과 나무가 많은 푸른 산

나이가 20대 정도인 남자

 산

 년

3 보기 와 같이 다음 한자의 뜻과 음(소리)을 쓰세요.

보기

外 → 바깥 외

• 靑 → (   )

4 다음 밑줄 친 음(소리)에 해당하는 한자를 보기 에서 찾아 그 번호를 쓰세요.

보기

① 靑   ② 中   ③ 日

• 청소년은 나라의 기둥입니다. → (   )

白 흰 백

🔍 다음 글을 읽고, 오늘 배울 한자를 확인해 보세요.

학교에서 모둠별로 폐품으로 만들기를 했어요.
우리 모둠은 그동안 모은 흰[白] 종이와
흰[白] 우유 팩, 요구르트 병으로 로켓을 만들었어요.
생각보다 멋져서 기분이 좋았습니다.

오늘 배울 한자

白

흰 백

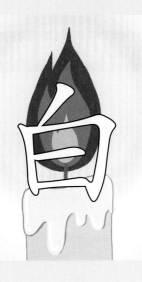

흰 백

촛불의 심지 모양을 본뜬 글자로, 촛불을 켜면 밝기 때문에 밝다, 희다라는 뜻이 되었어요.

QR을 보며 따라 써요!

🔍 **연하게 쓰인 한자를 따라 써 본 후, 빈칸에 바르게 쓰세요.**

白	白	白	白
흰 백	흰 백	흰 백	흰 백
흰 백	흰 백	흰 백	흰 백

3주

여러분, 오늘은 백지(白紙)로 자유롭게 만들기를 해 볼 거예요. 흰색을 그대로 사용해도 되고, 여러분이 좋아하는 색을 칠해서 만들어도 좋아요.

그럼 난 동화책에서 봤던 빨간 공주 드레스를 만들어야지.

지난주에 아빠랑 목장에 가서 봤던 백마(白馬)를 만들 거야. 벼리 너는?

나는……. 음……. 아, 그거다! 흐흐흐.

말도 멋있고, 드레스도 참 잘 만들었어요. 벼리는 뭘 만든 거니?

선생님, 저는 노랑머리를 한 백인(白人)이에요.

척~

으윽

'白(흰 백)'이 들어간 한자어를 알아봅시다.

 백 한글로 써 보아요.

 白 한자로 써 보아요.

지

빛깔이 흰 종이

紙

종이 지

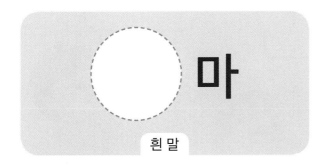
마

흰 말

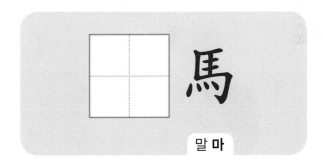
馬

말 마

인

흰 피부색을 가진 인종

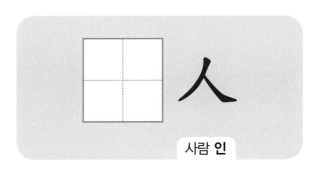
人

사람 인

3
주

1 '白'의 알맞은 음(소리)과 뜻을 찾아 색칠하세요.

청

외

백

바깥

희다

푸르다

🐰 **아하!** 이렇게 푸는구나!

'白'은 색깔과 관계있는 한자예요.

기초 집중 **연습**

 어휘 확인

2 그림의 설명이 맞으면 '예', 틀리면 '아니요'에 ◯표 하세요.

'백지'는 '빛깔이 흰 종이'
라는 뜻입니다.

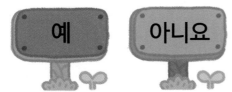

예   아니요

'백인'은 '머리카락과 수염이
하얀 사람'이라는 뜻입니다.

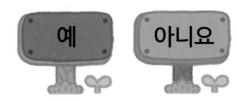

예   아니요

급수 유형

3 보기와 같이 다음 한자의 뜻과 음(소리)을 쓰세요.

보기

靑 ➡ 푸를 청

• 白 ➡ (   )

급수 유형

4 다음 밑줄 친 말에 해당하는 한자를 보기에서 찾아 그 번호를 쓰세요.

보기

① 靑   ② 白   ③ 日

• 꿈에 흰 말을 탄 왕자가 나타났습니다. ➡ (   )

萬 일만 만

🔍 다음 글을 읽고, 오늘 배울 한자를 확인해 보세요.

오늘 배울 한자

萬

일만 만

나의 꿈은 우주 비행사예요!
지구로부터 수만(萬) 킬로미터 떨어진
우주에서 우리가 살고 있는 지구를 보고 싶어요.
지구는 어떤 모습인지, 지구 주변에는
어떤 행성들이 있는지 알고 싶어요.
그리고 새로운 행성을 발견해서 제 발자국을 남길 거예요!

일만 만

전갈의 모양을 본뜬 글자로, 알을 많이 낳는다고 하여 **많은 수** 또는 **일만**을 뜻해요.

QR을 보며 따라 써요!

🔍 **연하게 쓰인 한자를 따라 써 본 후, 빈칸에 바르게 쓰세요.**

萬	萬	萬	萬
일만 만	일만 만	일만 만	일만 만
일만 만	일만 만	일만 만	일만 만

3주

🔍 '萬(일만 만)'이 들어간 한자어를 알아봅시다.

 한글로 써 보아요.

 한자로 써 보아요.

십 ◯

만의 열 배가 되는 수

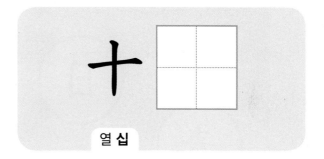

十

열 십

◯ 인

모든 사람

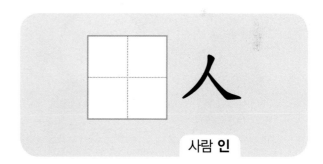

人

사람 인

◯ 국

세계의 모든 나라

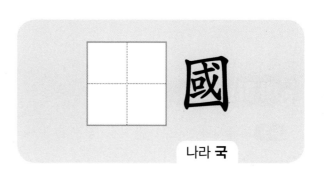

國

나라 국

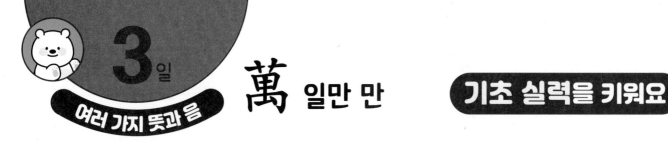

萬 일만 만

1 보기 의 순서대로 해당 한자에 ◯표 하며 보물을 찾으세요.

보기

일 – 청 – 백 – 중 – 만

🐰 **아하!** 이렇게 푸는구나!

보기 의 글자를 한자로 쓰면 日 – 靑 – 白 – 中 – 萬이 됩니다.

기초 집중 연습

 어휘 확인

2 다음 뜻에 해당하는 한자어를 찾아 선으로 이으세요.

모든 사람

•

• 萬國

세계의 모든 나라

•

• 萬人

 급수 유형

3 보기와 같이 다음 한자의 뜻과 음(소리)을 쓰세요.

보기

白 → 흰 백

• 萬 → (   )

급수 유형

4 다음 밑줄 친 낱말에 해당하는 한자어를 보기에서 찾아 그 번호를 쓰세요.

보기

① 二萬   ② 十萬   ③ 萬國

• <u>십만</u>은 만의 열 배가 되는 수입니다. → (   )

長 긴 장

다음 글을 읽고, 오늘 배울 한자를 확인해 보세요.

오늘 배울 한자

長
긴 장

오늘은 선생님께서 '우주 여행'이라는 만화 영화를 보여 주셨습니다.
우주 공간을 달리는 긴[長] 기차로 여행하는 미래 세계, 그 세계의
기차가 머무르는 역에서 벌어지는 일들을 그린 만화 영화인데,
너무 재미있고 신기해서 자꾸 생각이 났습니다.
아, 우주 공간을 달리는 기차는 얼마나 길[長]까요?

긴 장

[머리털이 긴 노인의 모습을 그린 글자로,
길다, 어른이라는 뜻을 나타내요.]

QR을 보며 따라 써요!

🔍 **연하게 쓰인 한자를 따라 써 본 후, 빈칸에 바르게 쓰세요.**

長	長	長	長
긴 장	긴 장	긴 장	긴 장
긴 장	긴 장	긴 장	긴 장

3
주

🔍 '長(긴 장)'이 들어간 한자어를 알아봅시다.

장 한글로 써 보아요.

長 한자로 써 보아요.

◯ 남

맏아들

☐ 男

사내 **남**

성 ◯

사람이나 동식물 등이 자라서 점점 커짐.

成 ☐

이룰 **성**

가 ◯

한 가정을 이끌어 나가는 사람

家 ☐

집 **가**

4일

여러 가지 뜻과 음

長 긴 장

기초 실력을 키워요

1 그림 속 한자의 뜻과 음(소리)으로 알맞은 것을 찾아 선으로 이으세요.

🐰 아하! 이렇게 푸는구나!

'靑'은 맑고 푸름을 나타내는 글자이고, '萬'은 알을 많이 낳는 전갈의 모습을 본뜬 글자예요.

어휘 확인

2 다음 중 '긴 장(長)'이 들어 있는 낱말을 찾아 ✔표 하세요.

장남

고추장

장터

급수 유형

3 다음 뜻에 알맞은 한자를 보기에서 찾아 그 번호를 쓰세요.

보기

① 長   ② 白   ③ 萬

● 길다 ➡ (   )

급수 유형

4 다음 밑줄 친 한자의 음(소리)을 보기에서 찾아 그 번호를 쓰세요.

보기

① 가   ② 장   ③ 성

● 청소년기는 성長이 매우 빠른 시기입니다. ➡ (   )

女 여자 녀

🔍 다음 글을 읽고, 오늘 배울 한자를 확인해 보세요.

우리 가족은 엄마, 아빠, 누나, 여(女)동생, 그리고 나까지 5명입니다.

누나는 중학생이고, 여(女)동생은 5살입니다.

여(女)자 형제만 있어서 형이나 남동생이 있으면 좋겠어요.

그런데 여(女)자 형제만 있는 나를 부럽다는 친구들도 있어요.

오늘 배울 한자

女

여자 녀

여자 녀

무릎을 꿇고 앉아 있는 여자의 모습을 본
뜬 글자로, **여자** 또는 **딸**을 뜻해요.

QR을 보며 따라 써요!

🔍 **연하게 쓰인 한자를 따라 써 본 후, 빈칸에 바르게 쓰세요.**

女	女	女	女
여자 녀	여자 녀	여자 녀	여자 녀
여자 녀	여자 녀	여자 녀	여자 녀

3주

우리 아드님은 여자(女子) 형제들이 많아서 좋겠네.

안 좋아요. 전 형이나 남동생이 있으면 좋겠어요.

어쭈! 누나가 잘해 주는 것도 모르고.

아야! 봐. 이러니까 싫다는 거야!

하하하! 자, 여기 보세요. 그러고 보니 세 모녀(母女)가 붕어빵이시네요.

아닌데요.

왜? 기분 나쁘니?

허허허! 분위기 좋습니다. 이제 진짜 찍어 볼까요? 하나, 둘!

잠깐만요! 거울 한 번만 더 보고 올게요.

휴~, 여중생(女中生)이란……

하 하

'**女**(여자 녀)'가 들어간 한자어를 알아봅시다.

 한글로 써 보아요.

 한자로 써 보아요.

여성으로 태어난 사람

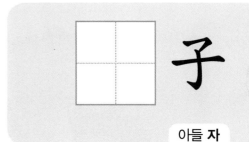

아들 **자**

 '女(녀)'가 낱말의 앞에 올 때는 '여'라고 읽어요.

어머니와 딸

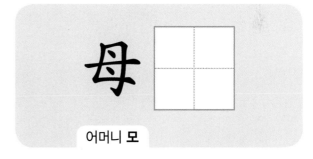

어머니 **모**

여자 중학생

가운데 **중**   날 **생**

1 그림 속의 뜻과 음(소리)에 해당하는 한자를 보기 에서 찾아 그 번호를 쓰세요.

보기
① 長   ② 萬   ③ 女

여자 녀

긴 장

일만 만

🐰 **아하!** 이렇게 푸는구나!

보기 의 한자는 '장', '만', '녀'라고 읽어요.

어휘 확인

2 ◯에 알맞은 글자를 넣어 낱말을 만드세요.

어머니와 딸

여자 중학생

모◯

◯중생

 급수 유형

3 보기 와 같이 다음 한자의 뜻과 음(소리)을 쓰세요.

> 보기
>
> 長 ➡ 긴 장

• 女 ➡ (   )

 급수 유형

4 다음 밑줄 친 말에 해당하는 한자를 보기 에서 찾아 그 번호를 쓰세요.

> 보기
>
> ① 中   ② 學   ③ 女

• 그 가수는 <u>여자</u> 팬들이 많습니다. ➡ (   )

누구나 100점 TEST

1 다음 한자의 뜻과 음(소리)을 보기에서 찾아 그 번호를 쓰세요.

> **보기**
>
> ① 긴 장　　　② 일만 만　　　③ 푸를 청

2 다음 한자의 뜻과 음(소리)으로 알맞은 것을 찾아 선으로 이으세요.

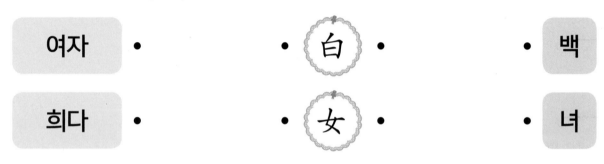

| 여자 | • | • | 白 | • | • | 백 |
| 희다 | • | • | 女 | • | • | 녀 |

3 ◯에 '긴 장(長)'이 들어가는 낱말에 ◯표 하세요.

고추◯　　　◯중생　　　◯남

4 다음 ☐ 안에 들어갈 한자에 ◯표 하세요.

불우한 소년 소녀 가 ☐ 을 돕고 싶습니다.

外 / 長

5 다음 그림이 나타내는 한자어를 찾아 ✔표 하세요.

萬人 ☐　　青山 ☐　　白人 ☐

6 다음 뜻에 해당하는 낱말을 찾아 선으로 이으세요.

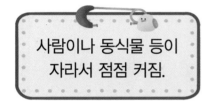

사람이나 동식물 등이
자라서 점점 커짐. •

• **십만**

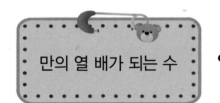

만의 열 배가 되는 수 •

• **성장**

7 다음 밑줄 친 한자어의 음(소리)을 쓰세요.

그는 이제 스무 살이 된 **青年**이다. → (　　　　)

8 다음 밑줄 친 낱말에 해당하는 한자를 에서 찾아 쓰세요.

보기

白　　女　　萬　　生　　中

• 여중생 두 명이 재잘거리며 걷고 있습니다.

→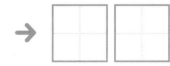

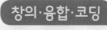
📖 국어+한문 다음 만화를 읽고, 성어의 뜻을 생각해 보세요.

男女老少

사내 **남** 여자 **녀** 늙을 **노** 적을 **소**

◆ **성어의 뜻을 살펴보며 빈칸에 알맞은 한자를 채우세요.**

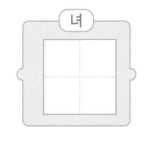

→ '남자와 여자, 늙은이와 젊은이'라는 뜻으로, 모든 사람을 이르는 말

📖 코딩+한문 그림을 보며 문제를 풀어 보세요.

1 다음 밑줄 친 뜻이나 음(소리)에 해당하는 한자를 보기 에서 찾아 쓰세요.

보기
青　　白　　女　　長　　萬

제 여동생을 찾아 주세요!

제 여동생은 분홍색에 <u>흰색</u>이 섞인 사탕을 샀어요.

제 여동생은 <u>만</u> 원을 내고 사탕을 샀어요.

제 여동생은 <u>긴</u> 머리에 <u>푸른색</u> 머리띠를 하고 있어요.

2 남자아이의 말을 참고하여 여동생을 찾아 ◯표 하세요.

수학+한문 한자를 읽으며 세 자리 수에 대해 알아봅시다.

1 공을 바구니에 넣으면 바구니에 적힌 점수만큼 점수를 얻습니다. 바구니 속의 공을 보고 청팀과 백팀 중 이긴 팀을 한자로 쓰고, 그 팀의 점수를 쓰세요.

1점　　10점　　100점

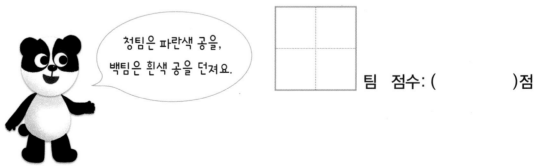

청팀은 파란색 공을,
백팀은 흰색 공을 던져요.

팀　점수: (　　　　　)점

2 [점수표]를 참고하여 경기에서 얻은 모든 점수를 더하세요. 그리고 청팀과 백팀 중 이긴 팀을 한자로 쓰고, 그 팀의 점수를 쓰세요.

점수표

경기	점수	경기	점수
萬보기 빨리 흔들기	50점	女자 이어달리기	150점
長거리 뛰기	100점	공 던지기	50점
靑팀 白팀 응원전	200점	남자 이어달리기	150점

경기	청팀	백팀
청팀 백팀 응원전	승	
여자 이어달리기		승
공 던지기	승	
남자 이어달리기		승
만보기 빨리 흔들기	승	
장거리 뛰기		승

팀   점수: (   )점

4주에는 무엇을 공부할까? ❶

1일 年 해 년

2일 生 날 생

3일 先 먼저 선

4일 北 북녘 북/달아날 배

5일 金 쇠 금/성 김

한자를 색칠해 봐!

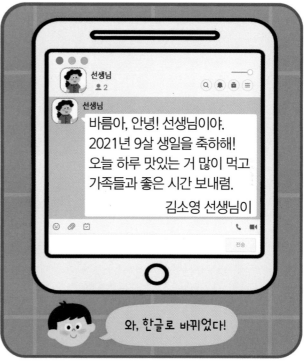

선생님
♣ 2

선생님
바름아, 안녕! 선생님이야.
2021년 9살 생일을 축하해!
오늘 하루 맛있는 거 많이 먹고
가족들과 좋은 시간 보내렴.
김소영 선생님이

전송

와, 한글로 바뀌었다!

어? 분명히
'쇠 금' 자가 쓰여 있었는데.
'쇠 금' 자는 아는 한자란
말이야.

한자 중에는
여러 가지 뜻과 소리를 가진
한자가 있어. '쇠 금' 자는 성으로
쓰이면 '김'이라고 읽어.

金 — 쇠 금
　 — 성 김

그렇구나. 신기하다.

4주

⭐ 이번 주에 배울 한자들이 그림 속에 숨어 있어요. 보기를 참고해서 한자를 찾아보세요.

보기

年 해 년   生 날 생   先 먼저 선   北 북녘 북/달아날 배   金 쇠 금/성 김

年 해 년

🔍 다음 글을 읽고, 오늘 배울 한자를 확인해 보세요.

> 초등학교 입학한 지 얼마 안 된 것 같은데,
> 해[年]가 바뀌어 벌써 2학년(年)이에요.
> 나는 1년(年) 중에 방학이 있는 여름과 겨울이 가장 좋아요.
> 여름에는 바다에서 수영을 할 수 있고,
> 겨울에는 눈사람을 만들 수 있으니까요.

해 년

[볏단을 지고 가는 사람의 모습을 그린 한
자로, 추수가 끝나 한해가 마무리되었다고
해서 **해** 또는 **나이**를 뜻해요.]

QR을 보며 따라 써요!

🔍 **연하게 쓰인 한자를 따라 써 본 후, 빈칸에 바르게 쓰세요.**

年	年	年	年
해 년	해 년	해 년	해 년
해 년	해 년	해 년	해 년

4주

1일 년 해 년

여러 가지 뜻과 음

한자어를 익혀요

엄마, 아빠. 학교 다녀오겠습니다!

다녀오겠습니다!

잘 다녀와. 벼리, 차 조심하고 너무 까불지 말고!

에이, 안 까불어요. 나도 한 학년(學年) 올라갔는데.

집에서도 누나한테 그리 까부는데, 학년 올라갔다고 달라지겠어?

누나나 잘해.

엄마, 나도 누나처럼 자전거 사 주세요!

너는 내년(來年)쯤 생각해 볼게. 아직은 위험해.

나도 자전거 타고 학교 가고 싶은데…….

매년(每年) 아무리 졸라 봐. 잘 안 될걸. 메~롱!

쌩~

내가 자전거만 타 봐라. 절대 나 못 이길 거다.

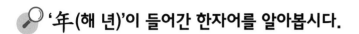 '年(해 년)'이 들어간 한자어를 알아봅시다.

 년 한글로 써 보아요.

 年 한자로 써 보아요.

학

1년간의 학습 과정의 단위

學

배울 **학**

내

올해의 바로 다음 해

來

올 래

 '來(래)'가 낱말의 앞에 올 때는 '내'라고 읽어요.

매

해마다

每

매양 **매**

年 해 년

1 그림 속 한자의 뜻과 음(소리)을 보기 에서 찾아 그 번호를 쓰세요.

보기

① 학교 교   ② 배울 학   ③ 해 년

2 學 年

🐰**아하!** 이렇게 푸는구나!

'年'은 학년을 나타낼 때도 사용해요.

기초 집중 연습

😊 어휘 확인

2 ◯에 알맞은 글자를 넣어 낱말을 만드세요.

올해의 바로 다음 해

내◯

해마다

매◯

1년간의 학습 과정의 단위

◯◯

🐰 급수 유형

3 다음 밑줄 친 말에 해당하는 한자를 보기에서 찾아 그 번호를 쓰세요.

보기

① 日   ② 年   ③ 月

● 어느덧 <u>해</u>가 바뀌어 그 아이는 10살이 되었습니다. → (   )

🐰 급수 유형

4 다음 밑줄 친 한자어의 음(소리)을 보기에서 찾아 그 번호를 쓰세요.

보기

① 매일   ② 매년   ③ 내년

● 지구의 기온이 <u>每年</u> 조금씩 올라가고 있습니다. → (   )

生 날 생

🔍 다음 글을 읽고, 오늘 배울 한자를 확인해 보세요.

곧 여동생의 생(生)일이 다가옵니다.

처음 여동생이 태어났을[生] 때, 아기는 하늘에서 천사가 낳아[生]

내려보내는 줄 알았어요. 그림 속의 아기 천사 같았거든요.

지금은 여동생이 귀엽긴 하지만 천사는 아닌 것 같아요.

오늘 배울 한자

生

날 생

날 생

[땅 위에 새싹이 돋아나 자라는 모습을 본 뜬 글자로, **나다, 살다**를 뜻해요.]

QR을 보며 따라 써요.

🔍 **연하게 쓰인 한자를 따라 써 본 후, 빈칸에 바르게 쓰세요.**

生	生	生	生
날 생	날 생	날 생	날 생
날 생	날 생	날 생	날 생

4
주

한자어를 익혀요

 '生(날 생)'이 들어간 한자어를 알아봅시다.

생 한글로 써 보아요.

生 한자로 써 보아요.

출◯

세상에 나옴.

出

날 **출**

◯명

생물로서 살아 있게 하는 힘

命

목숨 **명**

인◯

사람이 세상을 살아가는 일

人

사람 **인**

4주

2^일
여러 가지 뜻과 음 生 날 생

1 구름에 쓰여 있는 뜻과 음(소리)에 해당하는 한자를 찾아 고리를 선으로 이으세요.

🐰**아하!** 이렇게 푸는구나!

물속의 한자들은 '년', '장', '생', '청'이라고 읽어요.

기초 집중 연습

2 어휘확인

○에 알맞은 글자를 넣어 낱말을 만드세요.

세상에 나옴.

사람이 세상을 살아가는 일

출 ○

○ ○

3 급수유형

보기와 같이 다음 한자의 뜻과 음(소리)을 쓰세요.

> 보기
>
> 年 → 해 년

• 生 → (   )

4 급수유형

다음 밑줄 친 음(소리)에 해당하는 한자를 보기에서 찾아 그 번호를 쓰세요.

> 보기
>
> ① 女   ② 生   ③ 長

• 아무리 작은 <u>생</u>명이라도 소중히 해야 한다. → (   )

先 먼저 선

🔍 다음 글을 읽고, 오늘 배울 한자를 확인해 보세요.

누나는 영어 공부를 열심히 합니다.
매일 큰소리로 영어책을 읽고,
영어 노래도 부릅니다.
나도 배우고 싶다고 했더니
먼저[先] 알파벳부터 외워야 한다며
마치 선(先)생님처럼 으스댑니다.
아무래도 나에게 영어는 아직
어려울 것 같습니다.

오늘 배울 한자

先

먼저 선

먼저 선

> 어떤 사람보다 한 발짝 앞서간 사람의 발
> 자국 모습을 본뜬 글자예요. 그래서 **먼저**,
> **미리, 조상**이라는 뜻을 나타내요.

🔍 **연하게 쓰인 한자를 따라 써 본 후, 빈칸에 바르게 쓰세요.**

先	先	先	先
먼저 선	먼저 선	먼저 선	먼저 선
먼저 선	먼저 선	먼저 선	먼저 선

4주

다은아, 너 벌써 영어를 배웠어?

엄마랑 선행(先行) 학습 했지. 영어 배우는 거 너무 재밌더라!

나도 배우고 싶다.

자, 조용~. 책들 펴자.

선생(先生)님! 영어를 꼭 배워야 하나요?

응? 노을이는 왜 그런 생각을 했니?

저는 선조(先祖)들께서 만드신 우리말이 더 중요하다고 생각하는데 다들 영어를 공부하는 것 같아서요.

노을이 말도 맞아. 우리 노을이가 기특한 생각을 했네. 그럼 오늘 받아쓰기 시험을 볼 건데 기대해도 될까?

아, 우리말이 중요한 건 알지만……. 공부는 못 했어요.

하 하 하

ㅋ ㅋ

🔍 '先(먼저 선)'이 들어간 한자어를 알아봅시다.

선 한글로 써 보아요.

先 한자로 써 보아요.

◯행

남보다 먼저 행동함.

行

다닐 행

◯생

학생을 가르치는 사람

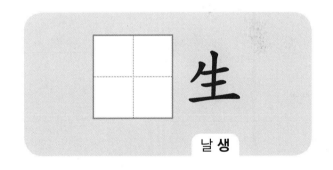
生

날 생

◯조

할아버지 이상의 조상

祖

할아버지 조

先 먼저 선

1 선생님이 가리키는 한자의 뜻과 음(소리)을 찾아 ✔표 하세요.

날 생 ☐   해 년 ☐   먼저 선 ☐

아하! 이렇게 푸는구나!

한 발짝 앞서간 사람의 발자국의 모습을 표현한 글자예요.

기초 집중 연습

😊 어휘 확인

2 다음 그림이 나타내는 낱말을 찾아 선으로 이으세요.

• 선생

• 선조

🐰 급수유형

3 다음 밑줄 친 말에 해당하는 한자를 보기 에서 찾아 그 번호를 쓰세요.

보기
①年　　②生　　③先

• 축구 시합에서 한국팀이 <u>먼저</u> 한 골을 넣었습니다. ➡ (　　　　　)

🐰 급수유형

4 다음 밑줄 친 음(소리)에 해당하는 한자를 보기 에서 찾아 그 번호를 쓰세요.

보기
①先　　②生　　③年

• 우리 반 1등의 공부법은 <u>선</u>행 학습이 아니라, 복습이었습니다.
➡ (　　　　　)

北 북녘 북
달아날 배

🔍 다음 글을 읽고, 오늘 배울 한자를 확인해 보세요.

며칠 전, 길에서 떨고 있는 작은 강아지를 아빠가 불쌍하다며 데리고 오셨어요.

그래서 '보리'라는 이름도 지어 주고 우리 집에서 키우기 시작했어요.

그런데 처음에는 눈치만 보던 '보리'가 요즘에는

동서남북(北)으로 뛰어다니며 사고를 칩니다.

엄마한테 매일 혼나요.

오늘 배울 한자

北
북녘 북 /
달아날 배

북녘 북 / 달아날 배

[두 사람이 서로 등지고 있는 모습을 나타낸
글자로, 해를 등진 방향인 **북쪽**을 뜻해요.
달아나다라는 뜻일 때는 '배'로 읽어요.]

QR을 보며 따라 써요.

🔍 **연하게 쓰인 한자를 따라 써 본 후, 빈칸에 바르게 쓰세요.**

北	北	北	北
북녘 북/달아날 배	북녘 북/달아날 배	북녘 북/달아날 배	북녘 북/달아날 배
북녘 북/달아날 배	북녘 북/달아날 배	북녘 북/달아날 배	북녘 북/달아날 배

4
주

🔍 '北(북녘 북/달아날 배)'이 들어간 한자어를 알아봅시다.

북 · 한글로 써 보아요.

北 · 한자로 써 보아요.

남◯

남쪽과 북쪽을 아울러 이르는 말

南

남녘 남

◯문

북쪽으로 난 문

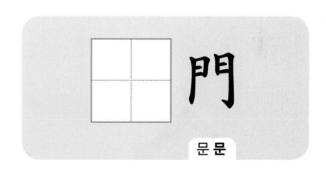

門

문 문

◯상

북쪽을 향하여 올라감.

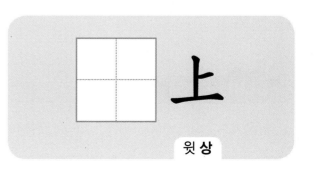

上

윗 상

北 북녘 북
달아날 배

기초 실력을 키워요

1 그림 속 한자의 뜻과 음(소리)으로 알맞은 것을 찾아 선으로 이으세요.

 生

 年

 北

해

북녘

나다

 북

 생

 년

아하! 이렇게 푸는구나!

'年'은 추수가 끝나 한해가 마무리되었다는 뜻을 나타내요.

기초 집중 **연습**

2 ☐ 안에 공통으로 들어갈 한자를 찾아 ✔표 하세요.

| ☐ 門 | 북쪽으로 낸 큰 문 |
| 南 ☐ | 남쪽과 북쪽을 아울러 이르는 말 |

北 ☐   先 ☐   人 ☐

3 보기 와 같이 다음 한자의 두 가지 뜻과 음(소리)을 쓰세요.

보기
先 ➡ 먼저 선

• 北 ➡ (/   )

4 다음 밑줄 친 음(소리)에 해당하는 한자를 보기 에서 찾아 그 번호를 쓰세요.

보기
① 北   ② 國   ③ 門

• 장마 전선이 북상하고 있다고 합니다. ➡ (   )

金 쇠 금/성 김

🔍 다음 글을 읽고, 오늘 배울 한자를 확인해 보세요.

매주 금(金)요일 오후에는 학교에서 자기가 좋아하는 것을
자유롭게 합니다. 운동장에서 축구나 줄넘기를 하는 친구,
교실에서 그림을 그리거나 만들기를 하는 친구, 텃밭을 가꾸거나
토끼를 보살피는 친구 등 모두 자신이 하고 싶은 것을 합니다.
금(金)요일은 참 즐거운 날입니다.

오늘 배울 한자

金
쇠 금/성 김

쇠 금 / 성 김

쇳덩이를 녹이는 도구를 그린 글자로, 쇠, 금을 뜻해요. '김'이라고 읽어 이름의 성을 나타내기도 해요.

QR을 보며 따라 써요!

🔍 **연하게 쓰인 한자를 따라 써 본 후, 빈칸에 바르게 쓰세요.**

金	金	金	金
쇠 금/성 김	쇠 금/성 김	쇠 금/성 김	쇠 금/성 김
쇠 금/성 김	쇠 금/성 김	쇠 금/성 김	쇠 금/성 김

4주

金 쇠 금 / 성 김

오늘은 금요일, 점심 식사 후에 무엇을 할지 준비해 왔나요?

김다은, 넌 뭐 할 거야?

난 텃밭에 가서 채소를 가꿀 거야. 넌?

난 당연히 축구지.

노을아, 넌 뭐 할 거야?

난 교실에서 만들기. 저금통을 만들려고. 금색(金色)으로 멋있게.

저금통에 저금할 돈은 있니? 용돈으로 맨날 군것질만 하면서.

이제부터 열심히 모을 거다. 현금(現金)으로 꽉꽉 채울 거야.

그래, 많이 모아서 이 형아 생일 때 백금(白金) 시계 하나 사 주라. 흐흐.

🔍 '金(쇠 금/성 김)'이 들어간 한자어를 알아봅시다.

 한글로 써 보아요.

 한자로 써 보아요.

황금처럼 광택이 나는 누런 색

빛 **색**

현재 실제로 있는 돈

나타날 **현**

하얀 금

흰 **백**

4
주

5일

여러 가지 뜻과 음

金 쇠 금/성 김

기초 실력을 키워요

1 그림 속 한자의 알맞은 뜻과 음(소리)을 두 개 찾아 ✔표 하세요.

쇠 금 [ ]

먼저 선 [ ]

성 김 [ ]

아하! 이렇게 푸는구나!

쇳덩이를 녹이는 도구를 그린 글자예요.

🐻 **어휘 확인**

2 ⬭에 알맞은 글자를 넣어 낱말을 만드세요.

황금처럼 광택이 나는 누런 색

⬇

⬭색

현재 실제로 있는 돈

⬇

현⬭

🐰 **급수 유형**

3 보기와 같이 다음 한자의 두 가지 뜻과 음(소리)을 쓰세요.

> **보기**
>
> 北 ➡ 북녘 북/달아날 배

· 金 ➡ (/   )

🐰 **급수 유형**

4 다음 밑줄 친 한자어의 음(소리)을 쓰세요.

> 상자 속에는 **白金**으로 만든
> 시계가 들어 있습니다. ➡ (   )

4
주

누구나 100점 TEST

1 그림에 해당하는 뜻과 음(소리)을 **보기** 에서 찾아 그 번호를 쓰세요.

보기

① 쇠 금　　　② 북녘 북　　　③ 해 년

2 다음 밑줄 친 낱말에 해당하는 한자어를 **보기** 에서 찾아 그 번호를 쓰세요.

보기

① 生年　　　② 月日　　　③ 先生

● <u>생년</u>월일은 태어난 해[年]와 달[月]과 날[日]을 말합니다.　➡　(　　　　　　　)

3 다음 밑줄 친 말에 해당하는 한자를 **보기** 에서 찾아 그 번호를 쓰세요.

보기

① 生　　　② 先　　　③ 金

● 나는 부산에서 <u>나서</u> 서울에서 자랐습니다.　➡　(　　　　　　　)

4 다음 뜻에 해당하는 낱말을 찾아 선으로 이으세요.

1년간의 학습 과정의 단위　•

•　학교

•　학년

5 다음 한자의 뜻과 음(소리)으로 알맞은 것을 찾아 선으로 이으세요.

먼저 •   • 生 •   • 선

나다 •   • 先 •   • 생

6 다음 ☐ 안에 들어갈 한자에 ◯표 하세요.

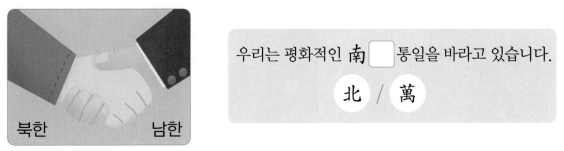

북한   남한

우리는 평화적인 南 ☐ 통일을 바라고 있습니다.

北 / 萬

7 그림이 나타내는 한자어를 보기 에서 찾아 그 번호를 쓰세요.

보기

① 出生   ② 白金   ③ 先行

→ (   )

8 다음 밑줄 친 한자어의 음(소리)을 쓰세요.

야구 시합이 끝나자 사람들이 北門 쪽으로
몰려나갔습니다.   → (   )

📖 국어+한문 **다음 만화를 읽고, 성어의 뜻을 생각해 보세요.**

九 死 一 生

아홉 **구** 죽을 **사** 한 **일** 날 **생**

◆ 성어의 뜻을 살펴보며 빈칸에 알맞은 한자를 채우세요.

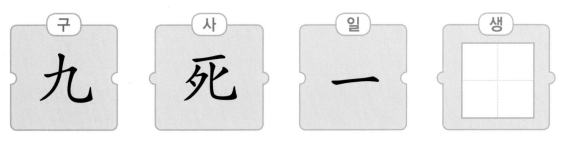

구	사	일	생
九	死	一	

→ '아홉 번 죽을 뻔하다 한 번 살아난다.'라는 뜻으로, 여러 차례 죽음의 고비를 겪고 간신히 목숨을 건진 상황을 이르는 말

📖 코딩+한문 예시 를 참고하여 규칙 에 따라 칸을 색칠했을 때, 나타나는 한자의 뜻과 음(소리)을 쓰세요.

규칙

1. 오른쪽 표의 숫자는 연속으로 칠해지는 가로 칸의 수를 나타내요.

2. 숫자 칸의 색과 같은 색으로 왼쪽의 표를 칠하세요

3. 예시 로 日 (날 일)자를 찾아 놓았어요.

예시

뜻	음
날	일

										9				
										2	5	2		
										2	1	3	1	2
										2	1	3	1	2
										2	5	2		
										2	1	3	1	2
										2	1	3	1	2
										2	5	2		
										9				

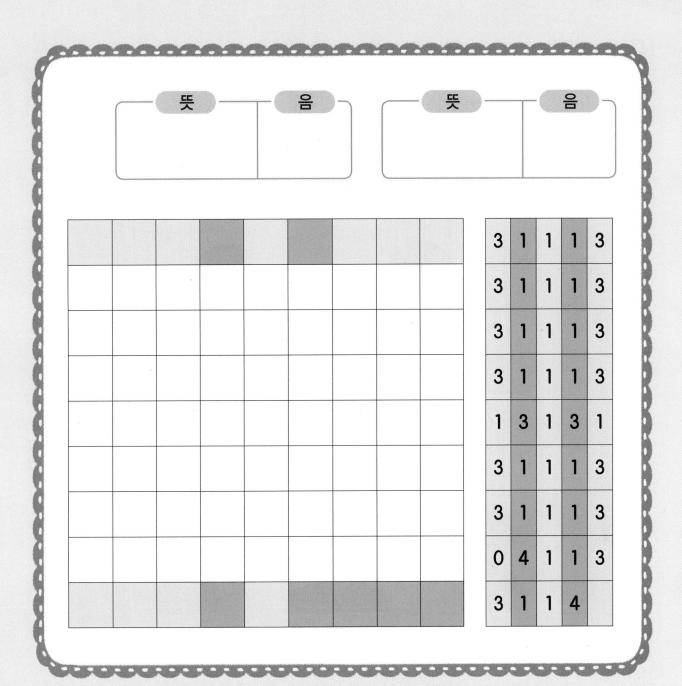

	뜻		음		뜻		음	

										3	1	1	1	3
										3	1	1	1	3
										3	1	1	1	3
										3	1	1	1	3
										1	3	1	3	1
										3	1	1	1	3
										3	1	1	1	3
										0	4	1	1	3
										3	1	1	4	

나타나는 한자는
두 개의 뜻과
음을 가지고 있어요.

4
주

📖 국어+한문 두 친구의 대화를 읽고 답을 써 보세요.

1 다음 대화의 내용에 해당하는 선생님을 찾아 ✔표 하세요.

선생님은 우리보다 20년 먼저 태어나셨어.

우리가 9살이니까, 그럼 선생님은 몇 살이시지?

30살 ⬚   31살 ⬚   29살 ⬚

2 '학생을 가르치는 사람'이라는 뜻을 가진 한자어를 보기 에서 찾아 쓰세요.

보기

先生   來年   出生

⬚⬚ ⬚⬚

3 다음 대화를 읽고 알맞은 답을 쓰세요.

보기

선행   내년   출생   남북

나보다 4년 후에 出生한 내 여동생은 올해 ☐ 살이야.

우리 엄마는 나보다 30살 많으신데, 아빠는 엄마보다 4살 더 많으셔. 來年이 되면 아빠는 ☐ 살이야.

9살   9살

● 여학생의 말에서 밑줄 친 한자어의 음(소리)을 보기에서 찾아 쓰고, ☐에 들어갈 숫자를 쓰세요.

음(소리)   숫자

● 남학생의 말에서 밑줄 친 한자어의 음(소리)을 보기에서 찾아 쓰고, ☐에 들어갈 숫자를 쓰세요.

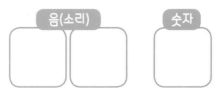

음(소리)   숫자

[문제 1~3] 다음 글의 [ ] 안에 있는 漢字한자의 音(음: 소리)을 쓰세요.

> **보기**
>
> 日 → 일

1 방 [門]을 열었더니,

( )

2 맛있는 [中]국 음식과

( )

3 [生]일 케이크가 있었습니다.

( )

[문제 4~6] 다음 訓(훈: 뜻)이나 音(음: 소리)에 알맞은 한자를 보기에서 찾아 그 번호를 쓰세요.

> **보기**
>
> ① 青   ② 校   ③ 女

4 여자 ( )

5 학교 ( )

6 청 ( )

[문제 7~9] 다음 밑줄 친 말에 해당하는 漢字한자를 보기에서 찾아 그 번호를 쓰세요.

> **보기**
>
> ① 年   ② 萬   ③ 外

7 나는 밖에서 노는 게 좋습니다.

( )

8 아버지께서 만 원을 주셨습니다.

( )

9 우리 가족은 해마다 여행을 갑니다.

( )

[문제 10~12] 다음 漢字한자의 訓(훈: 뜻)과 音(음: 소리)을 쓰세요.

> **보기**
>
> 日 → 날 일

10 教 ( )

11 先 ( )

12 國 ( )

[문제 13~15] 다음 漢字한자의 訓(훈: 뜻)을 보기 에서 찾아 그 번호를 쓰세요.

보기
　① 희다　　② 배우다　　③ 날

13 白 (　　　　　)

14 日 (　　　　　)

15 學 (　　　　　)

[문제 16~18] 다음 漢字한자의 音(음: 소리)을 보기 에서 찾아 그 번호를 쓰세요.

보기
　① 실　　② 장　　③ 한

16 室 (　　　　　)

17 韓 (　　　　　)

18 長 (　　　　　)

[문제 19~20] 다음 漢字한자의 진하게 표시된 획은 몇 번째 쓰는지 보기 에서 찾아 그 번호를 쓰세요.

보기
　① 세 번째　　② 네 번째
　③ 다섯 번째　　④ 여섯 번째

19

金 (　　　　　)

20
北 (　　　　　)

[문제 1~3] 다음 글의 [   ] 안에 있는 漢字 한자의 音(음: 소리)을 쓰세요.

보기

人 → 인

1 [北]쪽 땅을 파 보니

(   )

2 [長]문의 편지와 함께

(   )

3 황[金] 열쇠가 나왔습니다.

(   )

[문제 4~6] 다음 訓(훈: 뜻)이나 音(음: 소리)에 알맞은 한자를 보기 에서 찾아 그 번호를 쓰세요.

보기

① 敎   ② 中   ③ 先

4 교 (   )

5 먼저 (   )

6 중 (   )

[문제 7~9] 다음 밑줄 친 말에 해당하는 漢字 한자를 보기 에서 찾아 그 번호를 쓰세요.

보기

① 室   ② 生   ③ 學

7 <u>집</u> 안에서는 뛰면 안 됩니다.

(   )

8 새끼 강아지가 <u>태어났습니다</u>.

(   )

9 한자를 <u>배우는</u> 것은 재밌습니다.

(   )

[문제 10~12] 다음 漢字 한자의 訓(훈: 뜻)과 音(음: 소리)을 쓰세요.

보기

人 → 사람 인

10 日 (   )

11 韓 (   )

12 女 (   )

[문제 13~15] 다음 漢字한자의 訓(훈: 뜻)을 보기 에서 찾아 그 번호를 쓰세요.

> 보기
> ① 문　　② 학교　　③ 일만

13 校 (　　　　)

14 萬 (　　　　)

15 門 (　　　　)

[문제 16~18] 다음 漢字한자의 音(음: 소리)을 보기 에서 찾아 그 번호를 쓰세요.

> 보기
> ① 청　　② 백　　③ 년

16 白 (　　　　)

17 靑 (　　　　)

18 年 (　　　　)

[문제 19~20] 다음 漢字한자의 진하게 표시된 획은 몇 번째 쓰는지 보기 에서 찾아 그 번호를 쓰세요.

> 보기
> ① 세 번째　　② 네 번째
> ③ 다섯 번째　　④ 여섯 번째

19

國 (　　　　)

20

外 (　　　　)

학습 내용 찾아보기

memo

memo

학교 한자

배울 학

학교 한자

학교 교

학교 한자

가르칠 교

학교 한자

집 실

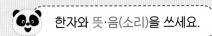

한자와 뜻·음(소리)을 쓰세요.

校

| 校 | 뜻 _____ |
| | 음 _____ |

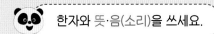

한자와 뜻·음(소리)을 쓰세요.

學

| 學 | 뜻 _____ |
| | 음 _____ |

한자와 뜻·음(소리)을 쓰세요.

室

| 室 | 뜻 _____ |
| | 음 _____ |

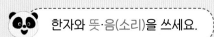

한자와 뜻·음(소리)을 쓰세요.

教

| 教 | 뜻 _____ |
| | 음 _____ |

학교 한자

門

문 문

나라 한자

韓

한국/나라 한

나라 한자

中

가운데 중

나라 한자

日

날 일

한자와 뜻·음(소리)을 쓰세요.

韓 　뜻 _____
　음 _____

한자와 뜻·음(소리)을 쓰세요.

門 　뜻 _____
　음 _____

한자와 뜻·음(소리)을 쓰세요.

日 　뜻 _____
　음 _____

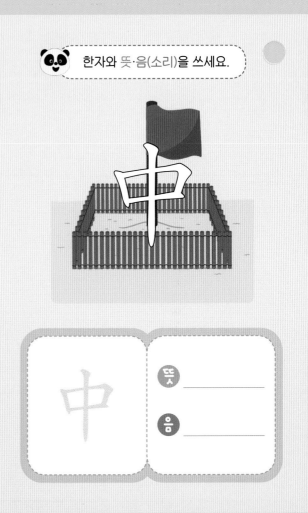

한자와 뜻·음(소리)을 쓰세요.

中 　뜻 _____
　음 _____

나라 한자

나라 국

나라 한자

바깥 외

색깔 한자

푸를 청

색깔 한자

나라 한자

흰 백

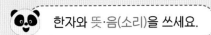
🐼 한자와 뜻·음(소리)을 쓰세요.

| 外 | 뜻 _____ |
| | 음 _____ |

🐼 한자와 뜻·음(소리)을 쓰세요.

| 國 | 뜻 _____ |
| | 음 _____ |

🐼 한자와 뜻·음(소리)을 쓰세요.

| 白 | 뜻 _____ |
| | 음 _____ |

🐼 한자와 뜻·음(소리)을 쓰세요.

| 靑 | 뜻 _____ |
| | 음 _____ |

여러 가지 뜻과 음

萬

일만 만

여러 가지 뜻과 음

長

긴 장

여러 가지 뜻과 음

女

여자 녀

여러 가지 뜻과 음

年

해 년

한자와 뜻·음(소리)을 쓰세요.

長

뜻 _____

음 _____

한자와 뜻·음(소리)을 쓰세요.

萬

뜻 _____

음 _____

한자와 뜻·음(소리)을 쓰세요.

年

뜻 _____

음 _____

한자와 뜻·음(소리)을 쓰세요.

女

뜻 _____

음 _____

여러 가지 뜻과 음

生

날 생

여러 가지 뜻과 음

先

먼저 선

여러 가지 뜻과 음

北

북녘 북/달아날 배

여러 가지 뜻과 음

金

쇠 금/성 김

🐼 한자와 뜻·음(소리)을 쓰세요.

| 先 | 뜻 _____ |
| | 음 _____ |

🐼 한자와 뜻·음(소리)을 쓰세요.

| 生 | 뜻 _____ |
| | 음 _____ |

🐼 한자와 뜻·음(소리)을 쓰세요.

| 金 | 뜻 _____ / _____ |
| | 음 _____ / _____ |

🐼 한자와 뜻·음(소리)을 쓰세요.

| 北 | 뜻 _____ / _____ |
| | 음 _____ / _____ |

水　漁　之　交

물　　물고기　　갈　　사귈

수　　어　　지　　교

물고기에게 물은 정말 소중한 존재이지요.
수어지교란 물고기와 물의 관계처럼,
아주 친밀하여 떨어질 수 없는 사이
또는 깊은 우정을 일컫는 말이랍니다.

해당 콘텐츠는 천재교육 '똑똑한 하루 독해'를 참고하여 제작되었습니다.
모든 공부의 기초가 되는 어휘력+독해력을 키우고 싶을 땐,
똑똑한 하루 독해&어휘를 풀어보세요!

똑똑한 하루 시/리/즈

⊠ 쉽다!

10분이면 하루치 공부를 마칠 수 있는 커리큘럼으로, 아이들이 초등 학습에 쉽고 재미있게 접근할 수 있도록 구성하였습니다.

🧩 재미있다!

교과서는 물론 생활 속에서 쉽게 접할 수 있는 다양한 소재와 재미있는 게임 형식의 문제로 흥미로운 학습이 가능합니다.

📖 똑똑하다!

초등학생에게 꼭 필요한 학습 지식 습득은 물론 창의력 확장까지 가능한 교재로 올바른 공부습관을 가지는 데 도움을 줍니다.

과목	교재 구성	과목	교재 구성
하루 독해	예비초~6학년 각 A·B 14권	하루 VOCA	3~6학년 각 A·B 8권
하루 어휘	예비초~6학년 각 A·B 14권	하루 영문법	3~6학년 각 A·B 8권
하루 글쓰기	예비초~6학년 각 A·B 14권	하루 리딩	3~6학년 각 A·B 8권
하루 한자	예비초: 예비초 A·B 2권 1~6학년: 1A~4C 12권	하루 파닉스	예비초~3학년 Starter A·B 8권 / 1A~3B 8권
하루 수학	1~6학년 1·2학기 12권	하루 봄·여름·가을·겨울	예비초~2학년 8권
하루 계산	예비초~6학년 각 A·B 14권	하루 사회	3~6학년 1·2학기 8권
하루 도형	예비초~6학년 각 A·B 14권	하루 과학	3~6학년 1·2학기 8권
하루 사고력	1~6학년 각 A·B 12권		

※ 각 교재별 출간 시기는 조금씩 다르며, 일부 교재는 순차적으로 출시될 예정입니다.

똑 똑 한

하루
한자

정답

1단계
C
8급 기초3

천재교육

배운 내용은
꼭꼭 복습하기!

똑 똑 한

하루
한자

정답

1 단계
C

8급 기초3

1주
도입

1주 1주에는
무엇을 공부할까? ②

정답 2쪽

❋ 이번 주에 배울 한자들이 그림 속에 숨어 있어요. 보기를 참고해서 한자를 찾아보세요.

보기   學 배울 학   校 학교 교   敎 가르칠 교   室 집 실   門 문 문

10 • 똑똑한 하루 한자

1단계-C 1주 • 11

1주
1일

1일 學 배울 학
학교 한자

기초 실력을 키워요

기초 집중 연습

정답 2쪽

1 요정은 '學'의 뜻이나 음(소리)이 쓰여 있는 사과만 따먹을 수 있어요. 요정이 먹을 수 있는 사과에 ○표 하세요.

아하! 이렇게 푸는구나

學은 아이들이 양손에 책을 들고 있는 모습을 나타낸 한자예요.

2 ○에 알맞은 글자를 넣어 낱말을 만드세요.

학교에 다니며
공부하는 사람

학생에게 계속적으로
교육을 실시하는 기관

학 생   학 교

3 다음 밑줄 친 한자의 음(소리)을 쓰세요.

내일이면 방학이 끝나고 學교에 갑니다. → (학)

4 다음 밑줄 친 말에 해당하는 한자를 보기에서 찾아 그 번호를 쓰세요.

보기   ① 生   ② 學   ③ 大

• 미국에 영어를 배우러 왔습니다. → (②)

16 • 똑똑한 하루 한자

1단계-C 1주 • 17

2 • 똑똑한 하루 한자

1주 2일

2일 학교 한자 校 학교 교 · 기초 실력을 키워요

기초 집중 연습

정답 3쪽

1 공에 쓰여 있는 한자의 뜻과 음(소리)을 보기에서 찾아 그 번호를 쓰세요.

보기
① 학교 교 ② 배울 학 ③ 나무 목

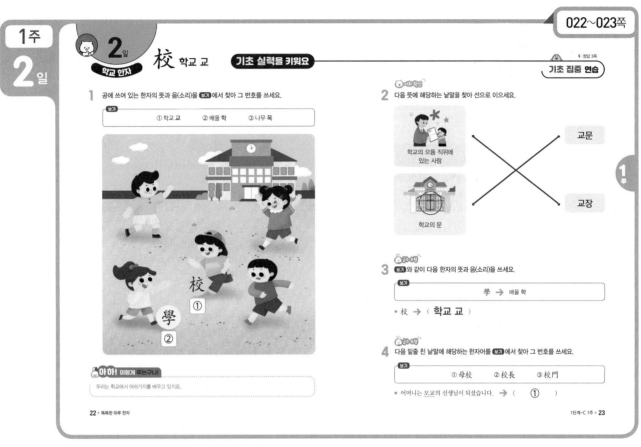

아하! 이렇게 푸는구나!
우리는 학교에서 여러가지를 배우고 있지요.

22 · 똑똑한 하루 한자

2 다음 뜻에 해당하는 낱말을 찾아 선으로 이으세요.

학교의 으뜸 직위에 있는 사람 ─── 교문
학교의 문 ─── 교장

3 보기와 같이 다음 한자의 뜻과 음(소리)을 쓰세요.

보기
學 → 배울 학

· 校 → (학교 교)

4 다음 밑줄 친 낱말에 해당하는 한자어를 보기에서 찾아 그 번호를 쓰세요.

보기
① 母校 ② 校長 ③ 校門

· 어머니는 모교의 선생님이 되었습니다. → (①)

1단계-C 1주 · 23

1주 3일

3일 학교 한자 教 가르칠 교 · 기초 실력을 키워요

기초 집중 연습

정답 3쪽

1 칠판에 쓰여 있는 한자의 뜻과 음(소리)을 바르게 쓴 학생에게 ✓표 하세요.

教 학교 교
校 교문 교 □

教 가르칠 교
校 학교 교 ✓

아하! 이렇게 푸는구나!
뜻이 다르지만 소리는 같은 한자예요.

28 · 똑똑한 하루 한자

2 낱말에 대한 설명이 맞으면 '예', 틀리면 '아니요'에 ○표 하세요.

'교실'은 '학습 활동이 이루어지는 방'을 뜻합니다. (예) 아니요

'교과서'는 '그날그날 겪은 일이나 생각을 적어 놓은 글'을 뜻합니다. 예 /(아니요)

3 보기와 같이 다음 한자의 뜻과 음(소리)을 쓰세요.

보기
校 → 학교 교

· 教 → (가르칠 교)

4 다음 밑줄 친 한자의 음(소리)을 보기에서 찾아 그 번호를 쓰세요.

보기
① 교 ② 학 ③ 실

· 우리 반 教실은 3층에 있습니다. → (①)

1단계-C 1주 · 29

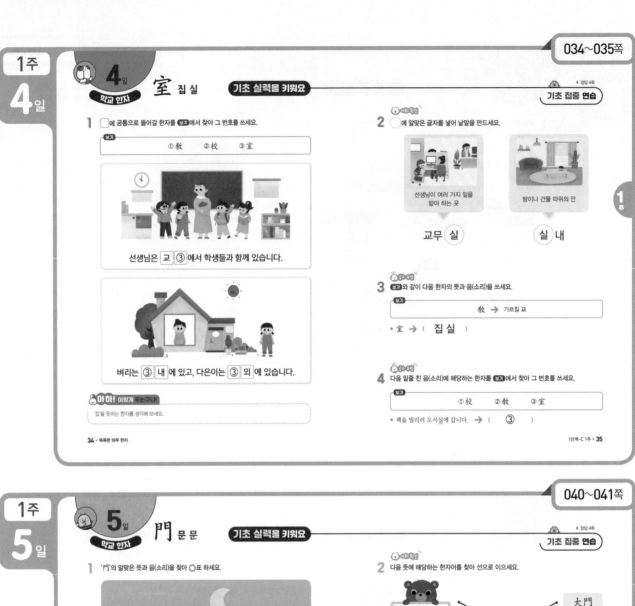

1주 4일

4일 室 집 실
학교 한자

기초 실력을 키워요

기초 집중 연습

1 □에 공통으로 들어갈 한자를 보기에서 찾아 그 번호를 쓰세요.

보기
①教 ②校 ③室

선생님은 교 ③ 에서 학생들과 함께 있습니다.

벼리는 ③ 내 에 있고, 다은이는 ③ 외 에 있습니다.

아하! 이렇게 푸는구나!
'집'을 뜻하는 한자를 생각해 보세요.

2 ○에 알맞은 글자를 넣어 낱말을 만드세요.

선생님이 여러 가지 일을 맡아 하는 곳

방이나 건물 따위의 안

교무 실   실 내

3 보기와 같이 다음 한자의 뜻과 음(소리)을 쓰세요.

보기
教 → 가르칠 교

• 室 → (집 실)

4 다음 밑줄 친 음(소리)에 해당하는 한자를 보기에서 찾아 그 번호를 쓰세요.

보기
①校 ②教 ③室

• 책을 빌리러 도서실에 갑니다. → (③)

34 • 똑똑한 하루 한자   1단계-C 1주 • 35

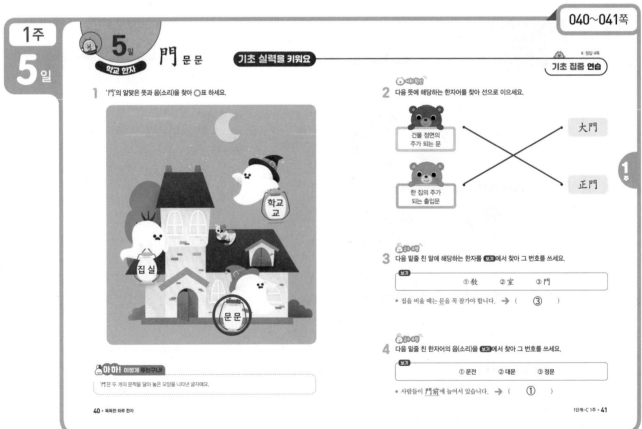

1주 5일

5일 門 문 문
학교 한자

기초 실력을 키워요

기초 집중 연습

1 '門'의 알맞은 뜻과 음(소리)을 찾아 ○표 하세요.

학교 교

집 실

문 문

아하! 이렇게 푸는구나!
'門'은 두 개의 문짝을 달아 놓은 모양을 나타낸 글자예요.

2 다음 뜻에 해당하는 한자어를 찾아 선으로 이으세요.

건물 정면의 주가 되는 문

한 집의 주가 되는 출입문

大門

正門

3 다음 밑줄 친 말에 해당하는 한자를 보기에서 찾아 그 번호를 쓰세요.

보기
①教 ②室 ③門

• 집을 비울 때는 문을 꼭 잠가야 합니다. → (③)

4 다음 밑줄 친 한자어의 음(소리)을 보기에서 찾아 그 번호를 쓰세요.

보기
①문전 ②대문 ③정문

• 사람들이 門前에 늘어서 있습니다. → (①)

40 • 똑똑한 하루 한자   1단계-C 1주 • 41

1주 TEST

1주 누구나 100점 TEST

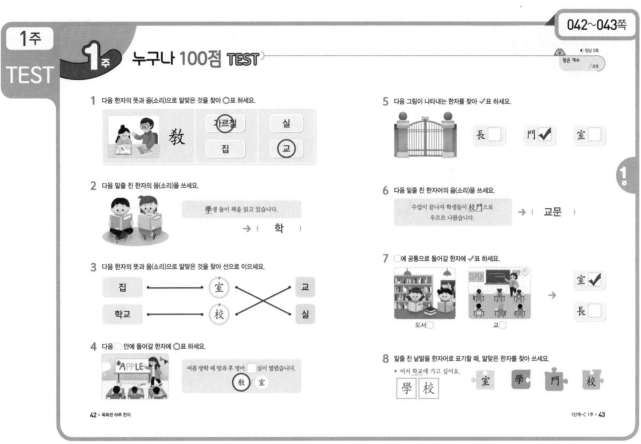

1주 특강

1주 특강 생각을 키워요 ❶

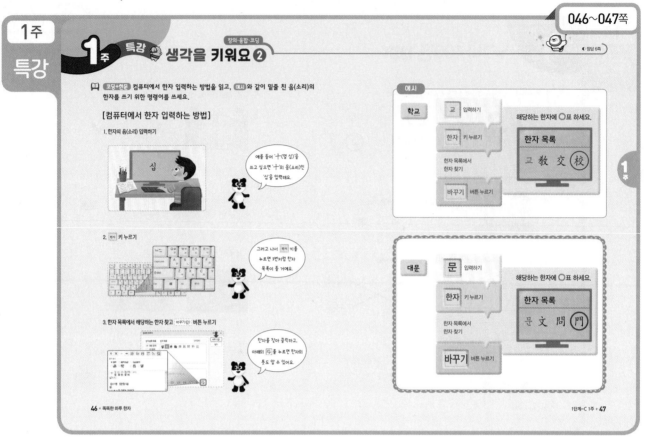

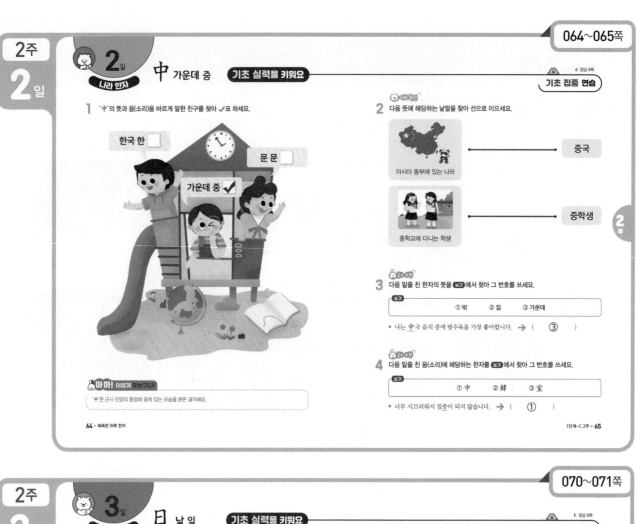

2주 2일

2일 나라 한자 中 가운데 중 기초 실력을 키워요 기초 집중 연습

정답 8쪽

1 '中'의 뜻과 음(소리)을 바르게 말한 친구를 찾아 ✔표 하세요.

한국 한 ☐ 문 문 ☐ 가운데 중 ✔

아하! 이렇게 생겨났구나!
'中'은 군사 진영의 중앙에 꽂혀 있는 모습을 본뜬 글자예요.

2 다음 뜻에 해당하는 낱말을 찾아 선으로 이으세요.

아시아 동부에 있는 나라 —— 중국

중학교에 다니는 학생 —— 중학생

3 다음 밑줄 친 한자의 뜻을 보기에서 찾아 그 번호를 쓰세요.

보기 ① 밖 ② 집 ③ 가운데

• 나는 中국 음식 중에 탕수육을 가장 좋아합니다. → (③)

4 다음 밑줄 친 음(소리)에 해당하는 한자를 보기에서 찾아 그 번호를 쓰세요.

보기 ① 中 ② 韓 ③ 室

• 너무 시끄러워서 집중이 되지 않습니다. → (①)

64 • 똑똑한 하루 한자   1단계-C 2주 • 65

2주 3일

3일 나라 한자 日 날 일 기초 실력을 키워요 기초 집중 연습

정답 8쪽

1 그림 속 한자의 뜻과 음(소리)을 보기에서 찾아 그 번호를 쓰세요.

보기 ① 한국/나라 한 ② 날 일 ③ 가운데 중

中 ③   日 ②

아하! 이렇게 생겨났구나!
중국과 일본을 나타낼 때 사용하는 한자들이에요.

2 ◯에 알맞은 글자를 넣어 낱말을 만드세요.

아시아 동쪽 끝에 있는 나라
일 본

일하지 않고 쉬는 날
휴 일

하루하루의 모든 날
매 일

3 보기와 같이 다음 한자의 뜻과 음(소리)을 쓰세요.

보기 韓 → 한국/나라 한

• 日 → (날 일)

4 다음 밑줄 친 음(소리)에 해당하는 한자를 보기에서 찾아 그 번호를 쓰세요.

보기 ① 日 ② 中 ③ 韓

• 나는 매일 아침 운동을 한 후 우유를 한 컵 마십니다. → (①)

70 • 똑똑한 하루 한자   1단계-C 2주 • 71

2주 4일

4일 나라 한자 國 나라 국 | 기초 실력을 키워요

정답 9쪽

기초 집중 연습

1 그림 속의 뜻과 음(소리)에 해당하는 한자를 보기에서 찾아 그 번호를 쓰세요.

보기　① 韓　② 日　③ 國

한국/나라 한 ①
나라 국 ③
날 일 ②

아하! 이렇게 푸는구나!
'한국'과 '일본'의 한자를 생각해 보세요.

2 그림 속 내용이 맞으면 '예', 틀리면 '아니요'에 ○표 하세요.

'국어'는 '한 나라의 국민이 쓰는 말'입니다.
예　아니요

'국토'는 '넓은 땅'이라는 뜻입니다.
예　아니요

3 보기와 같이 다음 한자의 뜻과 음(소리)을 쓰세요.

보기　日 → 날 일

• 國 → (나라 국)

4 다음 밑줄 친 음(소리)에 해당하는 한자를 보기에서 찾아 그 번호를 쓰세요.

보기　① 室　② 國　③ 中

• 그는 박사가 되어 모국으로 돌아갔습니다. → (②)

76 · 똑똑한 하루 한자　　1단계-C 2주 · 77

2주 5일

5일 나라 한자 外 바깥 외 | 기초 실력을 키워요

정답 9쪽

기초 집중 연습

1 한자의 뜻과 음(소리)으로 알맞은 카드를 찾아 보기와 같이 선으로 이으세요.

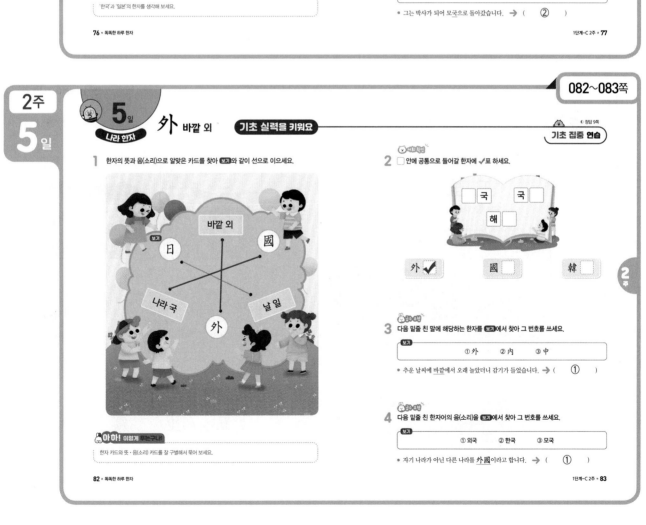

바깥 외
보기 日　國
나라 국　날 일
外

아하! 이렇게 푸는구나!
한자 카드와 뜻·음(소리) 카드를 잘 구별해서 묶어 보세요.

2 ☐ 안에 공통으로 들어갈 한자에 ✔표 하세요.

☐국　☐국
해☐

外 ✔　國 ☐　韓 ☐

3 다음 밑줄 친 말에 해당하는 한자를 보기에서 찾아 그 번호를 쓰세요.

보기　① 外　② 内　③ 中

• 추운 날씨에 바깥에서 오래 놀았더니 감기가 들었습니다. → (①)

4 다음 밑줄 친 한자어의 음(소리)을 보기에서 찾아 그 번호를 쓰세요.

보기　① 외국　② 한국　③ 모국

• 자기 나라가 아닌 다른 나라를 外國이라고 합니다. → (①)

82 · 똑똑한 하루 한자　　1단계-C 2주 · 83

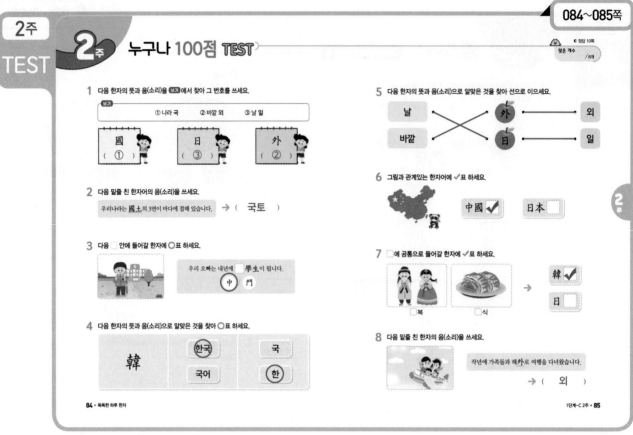

2주 특강

2주 특강 🐻 생각을 키워요 ❷

창의·융합·코딩

● 정답 11쪽

📖 코딩+한문 예시 와 같이 보기 의 화살표를 따라 갔을 때 만나는 한자를 차례로 조합해서 보물이 있는 나라를 알아보고, 그 나라의 한자어와 음(소리)을 쓰세요.

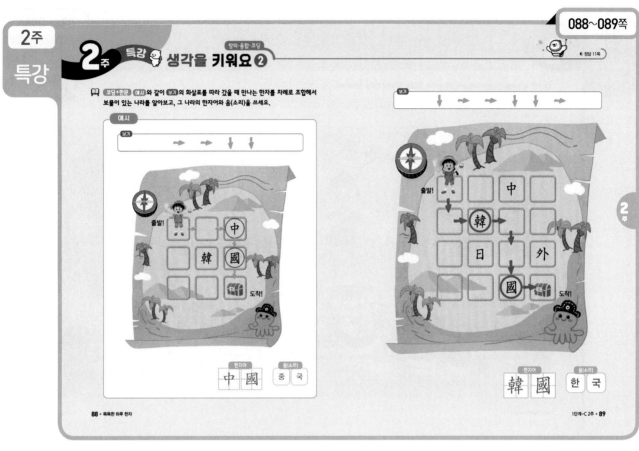

88 • 똑똑한 하루 한자

1단계-C 2주 • 89

2주 특강

2주 특강 🐻 생각을 키워요 ❸

창의·융합·코딩

● 정답 11쪽

📖 수학+한문 지도와 가족들의 말을 참고하여 빈칸에 알맞은 답을 쓰세요. 지도에서 한 칸의 길이는 2cm입니다.

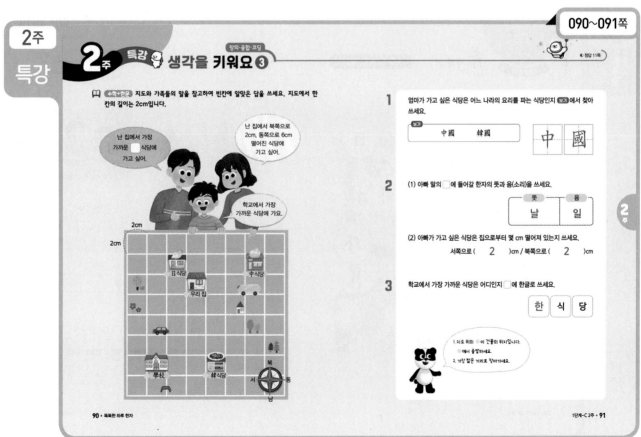

1 엄마가 가고 싶은 식당은 어느 나라의 요리를 파는 식당인지 보기 에서 찾아 쓰세요.

보기   中國   韓國

中 國

2 (1) 아빠 말의 ☐에 들어갈 한자의 뜻과 음(소리)을 쓰세요.

뜻	음
날	일

(2) 아빠가 가고 싶은 식당은 집으로부터 몇 cm 떨어져 있는지 쓰세요.

서쪽으로 (2)cm / 북쪽으로 (2)cm

3 학교에서 가장 가까운 식당은 어디인지 ☐에 한글로 쓰세요.

한 식 당

1. 지도 위의 ☐이 건물의 위치입니다.
☐에서 출발하세요.
2. 가장 짧은 거리로 찾아가세요.

90 • 똑똑한 하루 한자

1단계-C 2주 • 91

094~095쪽

3주 도입

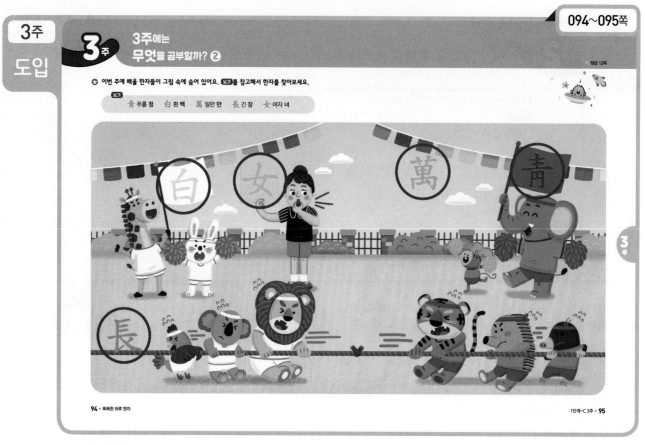

100~101쪽

3주 1일

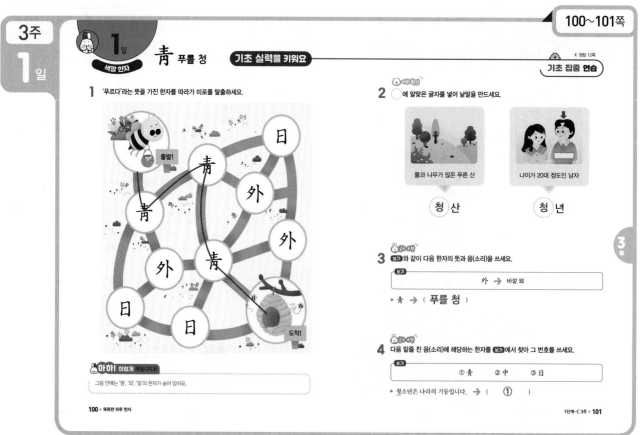

3주 2일

2일
색깔 한자

白 흰 백

기초 실력을 키워요

정답 13쪽

기초 집중 연습

1 '白'의 알맞은 음(소리)과 뜻을 찾아 색칠하세요.

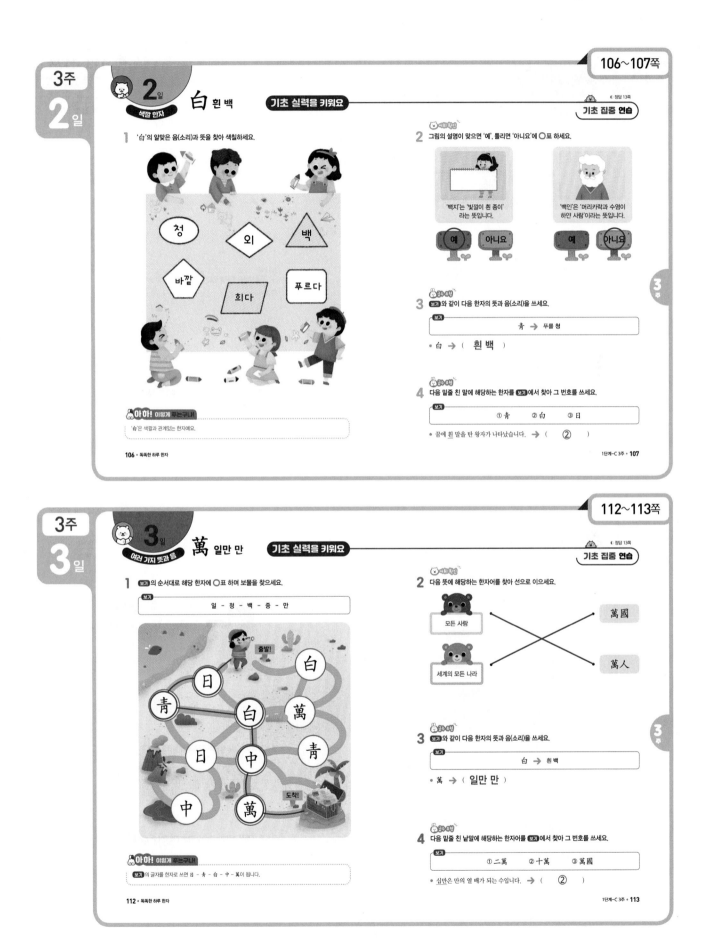

청 / 외 / 백 / 바깥 / 희다 / 푸르다

아하! 이렇게 푸는구나!

'白'은 색깔과 관계있는 한자예요.

2 그림의 설명이 맞으면 '예', 틀리면 '아니요'에 ○표 하세요.

'백지'는 '빛깔이 흰 종이'라는 뜻입니다.
예 / 아니요

'백인'은 '머리카락과 수염이 하얀 사람'이라는 뜻입니다.
예 / 아니요

3 보기와 같이 다음 한자의 뜻과 음(소리)을 쓰세요.

보기
青 → 푸를 청

• 白 → (흰 백)

4 다음 밑줄 친 말에 해당하는 한자를 보기에서 찾아 그 번호를 쓰세요.

보기
① 青　② 白　③ 日

• 꿈에 흰 말을 탄 왕자가 나타났습니다. → (②)

106 • 똑똑한 하루 한자

1단계-C 3주 • 107

3주 3일

3일
여러 가지 뜻과 음

萬 일만 만

기초 실력을 키워요

정답 13쪽

기초 집중 연습

1 보기의 순서대로 해당 한자에 ○표 하며 보물을 찾으세요.

보기
일 - 청 - 백 - 중 - 만

출발!

日 / 白 / 青 / 白 / 萬 / 日 / 中 / 青 / 中 / 萬

도착!

아하! 이렇게 푸는구나!

보기의 글자를 한자로 쓰면 日 - 青 - 白 - 中 - 萬이 됩니다.

2 다음 뜻에 해당하는 한자어를 찾아 선으로 이으세요.

모든 사람 ——— 萬國

세계의 모든 나라 ——— 萬人

3 보기와 같이 다음 한자의 뜻과 음(소리)을 쓰세요.

보기
白 → 흰 백

• 萬 → (일만 만)

4 다음 밑줄 친 낱말에 해당하는 한자어를 보기에서 찾아 그 번호를 쓰세요.

보기
① 二萬　② 十萬　③ 萬國

• 십만은 만의 열 배가 되는 수입니다. → (②)

112 • 똑똑한 하루 한자

1단계-C 3주 • 113

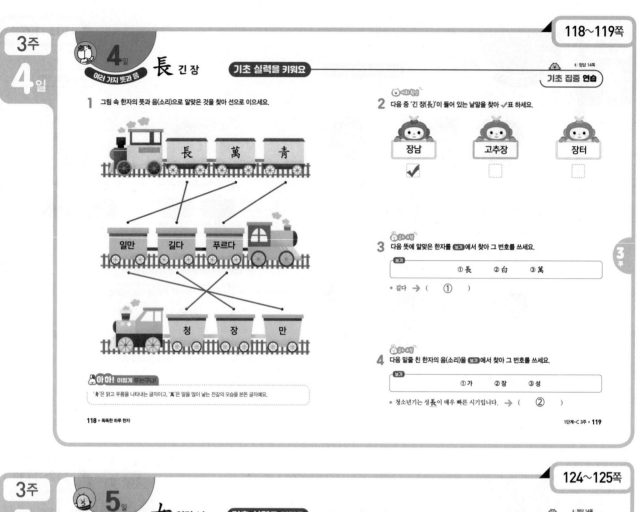

3주
4일

4일 長 긴 장
여러 가지 뜻과 음

기초 실력을 키워요

정답 14쪽

기초 집중 연습

1 그림 속 한자의 뜻과 음(소리)으로 알맞은 것을 찾아 선으로 이으세요.

長 萬 靑

일만 / 길다 / 푸르다

청 / 장 / 만

아하! 이렇게 푸는구나

'靑'은 맑고 푸름을 나타내는 글자이고, '萬'은 알을 많이 낳는 전갈의 모습을 본뜬 글자예요.

118 • 똑똑한 하루 한자

2 다음 중 '긴 장(長)'이 들어 있는 날말을 찾아 ✓표 하세요.

장남 ✓ / 고추장 ☐ / 장터 ☐

3 다음 뜻에 알맞은 한자를 보기에서 찾아 그 번호를 쓰세요.

보기
①長 ②白 ③萬

• 길다 → (①)

4 다음 밑줄 친 한자의 음(소리)을 보기에서 찾아 그 번호를 쓰세요.

보기
①가 ②장 ③성

• 청소년기는 성長이 매우 빠른 시기입니다. → (②)

1단계-C 3주 • 119

3주
5일

5일 女 여자 녀
여러 가지 뜻과 음

기초 실력을 키워요

정답 14쪽

기초 집중 연습

1 그림 속의 뜻과 음(소리)에 해당하는 한자를 보기에서 찾아 그 번호를 쓰세요.

보기
①長 ②萬 ③女

여자 녀 ③ / 긴 장 ① / 일만 만 ②

아하! 이렇게 푸는구나

보기의 한자는 '장', '만', '녀'라고 읽어요.

124 • 똑똑한 하루 한자

2 ○에 알맞은 글자를 넣어 날말을 만드세요.

어머니와 딸
모 녀

여자 중학생
여 중생

3 보기와 같이 다음 한자의 뜻과 음(소리)을 쓰세요.

보기
長 → 긴 장

• 女 → (여자 녀)

4 다음 밑줄 친 말에 해당하는 한자를 보기에서 찾아 그 번호를 쓰세요.

보기
①中 ②學 ③女

• 그 가수는 여자 팬들이 많습니다. → (③)

1단계-C 3주 • 125

3주 TEST

3주 누구나 100점 TEST

정답 15쪽
맞은 개수 / 8개

1 다음 한자의 뜻과 음(소리)을 보기 에서 찾아 그 번호를 쓰세요.

보기
① 긴 장 ② 일만 만 ③ 푸를 청

青 ③　長 ①　萬 ②

2 다음 한자의 뜻과 음(소리)으로 알맞은 것을 찾아 선으로 이으세요.

여자 — 白 — 백
희다 — 女 — 녀

3 　에 '긴 장(長)'이 들어가는 낱말에 ○표 하세요.

고추　　중생　　(남)

4 다음 　 안에 들어갈 한자에 ○표 하세요.

불우한 소년 소녀 가 　을 돕고 싶습니다.

外　(長)

5 다음 그림이 나타내는 한자어를 찾아 ✓표 하세요.

萬人 □　青山 ✓　白人 □

6 다음 뜻에 해당하는 낱말을 찾아 선으로 이으세요.

사람이나 동식물 등이 자라서 점점 커짐. — 십만

만의 열 배가 되는 수 — 성장

7 다음 밑줄 친 한자어의 음(소리)을 쓰세요.

그는 이제 스무 살이 된 青年이다. → (청년)

8 다음 밑줄 친 낱말에 해당하는 한자를 보기 에서 찾아 쓰세요.

보기
白 女 萬 生 中

● 여중생 두 명이 재잘거리며 걷고 있습니다.

→ 女 中

126 • 똑똑한 하루 한자

1단계-C 3주 • 127

3주 특강

3주 특강 창의·융합·코딩 생각을 키워요 ❶

정답 15쪽

📖 국어+한문 다음 만화를 읽고, 성어의 뜻을 생각해 보세요.

◆ 성어의 뜻을 살펴보며 빈칸에 알맞은 한자를 채우세요.

男 女 老 少
남　녀　노　소

→ '남자와 여자, 늙은이와 젊은이'라는 뜻으로, 모든 사람을 이르는 말

128 • 똑똑한 하루 한자

1단계-C 3주 • 129

1단계-C 정답 • **15**

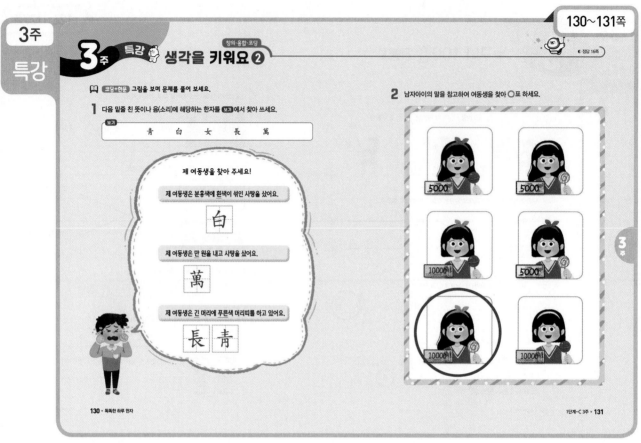

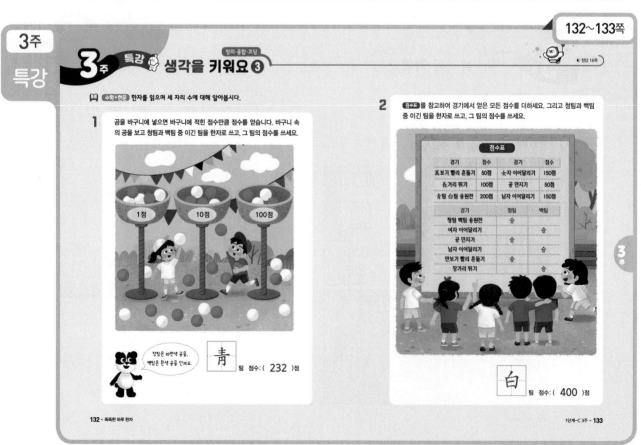

4주 **도입**

4주
4주에는
무엇을 공부할까? ❷

정답 17쪽

❂ 이번 주에 배울 한자들이 그림 속에 숨어 있어요. 보기를 참고해서 한자를 찾아보세요.

보기
年 해 년   生 날 생   先 먼저 선   北 북녘 북/달아날 배   金 쇠 금/성 김

136 • 똑똑한 하루 한자

1단계-C 4주 • 137

4주 **1일**

1일
여러 가지 뜻과 음
年 해 년

기초 실력을 키워요

정답 17쪽

기초 집중 연습

1 그림 속 한자의 뜻과 음(소리)을 보기에서 찾아 그 번호를 쓰세요.

보기
① 학교 교   ② 배울 학   ③ 해 년

2 ◯에 알맞은 글자를 넣어 낱말을 만드세요.

올해의 바로 다음 해
내 년

해마다
매 년

1년간의 학습 과정의 단위
학 년

3 다음 밑줄 친 말에 해당하는 한자를 보기에서 찾아 그 번호를 쓰세요.

보기
① 日   ② 年   ③ 月

• 어느덧 해가 바뀌어 그 아이는 10살이 되었습니다. → (②)

4 다음 밑줄 친 한자어의 음(소리)을 보기에서 찾아 그 번호를 쓰세요.

보기
① 매일   ② 매년   ③ 내년

• 지구의 기온이 每年 조금씩 올라가고 있습니다. → (②)

아하! 이렇게 쓰는구나

'年'은 학년을 나타낼 때도 사용해요.

142 • 똑똑한 하루 한자

1단계-C 4주 • 143

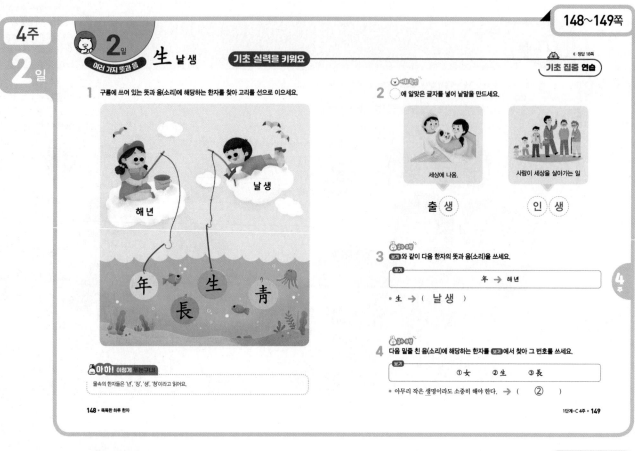

148~149쪽

4주 2일

2일 여러 가지 뜻과 음 生 날 생

기초 실력을 키워요

정답 18쪽

기초 집중 **연습**

1 구름에 쓰여 있는 뜻과 음(소리)에 해당하는 한자를 찾아 고리를 선으로 이으세요.

날 생 / 해 년

年 生 靑 長

아하! 이렇게 푸는구나!
물속의 한자들은 '년', '장', '생', '청'이라고 읽어요.

2 ◯에 알맞은 글자를 넣어 낱말을 만드세요.

세상에 나옴.
출 生

사람이 세상을 살아가는 일
인 生

3 보기와 같이 다음 한자의 뜻과 음(소리)을 쓰세요.

보기
年 → 해 년

• 生 → (날 생)

4 다음 밑줄 친 음(소리)에 해당하는 한자를 보기에서 찾아 그 번호를 쓰세요.

보기
① 女　② 生　③ 長

• 아무리 작은 생명이라도 소중히 해야 한다. → (②)

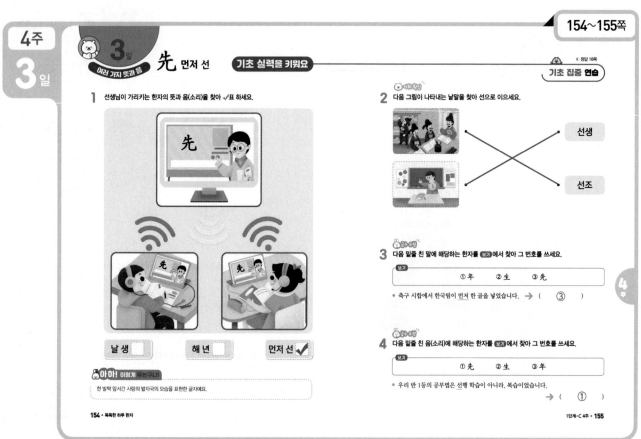

154~155쪽

4주 3일

3일 여러 가지 뜻과 음 先 먼저 선

기초 실력을 키워요

정답 18쪽

기초 집중 **연습**

1 선생님이 가리키는 한자의 뜻과 음(소리)을 찾아 ✓표 하세요.

先

날 생 ☐　해 년 ☐　먼저 선 ✔

아하! 이렇게 푸는구나!
한 발짝 앞서간 사람의 발자국의 모습을 표현한 글자예요.

2 다음 그림이 나타내는 낱말을 찾아 선으로 이으세요.

선생
선조

3 다음 밑줄 친 말에 해당하는 한자를 보기에서 찾아 그 번호를 쓰세요.

보기
① 年　② 生　③ 先

• 축구 시합에서 한국팀이 먼저 한 골을 넣었습니다. → (③)

4 다음 밑줄 친 음(소리)에 해당하는 한자를 보기에서 찾아 그 번호를 쓰세요.

보기
① 先　② 生　③ 年

• 우리 반 1등의 공부법은 선행 학습이 아니라, 복습이었습니다.

→ (①)

160~161쪽

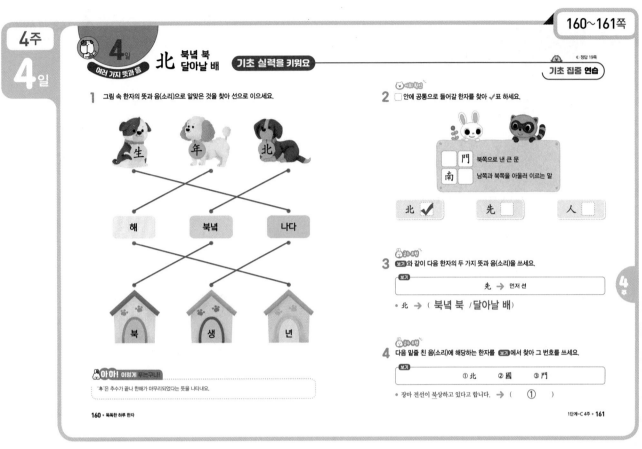

166~167쪽

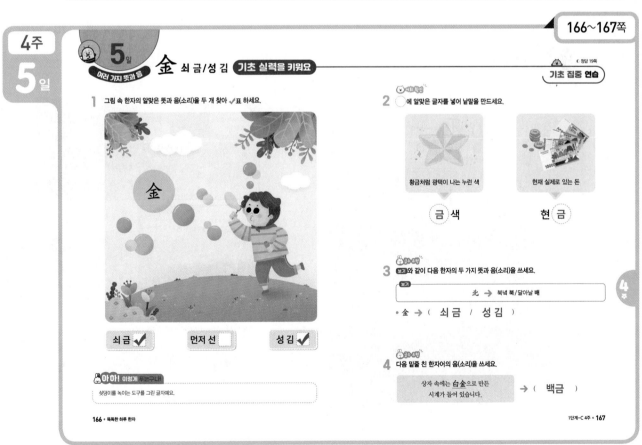

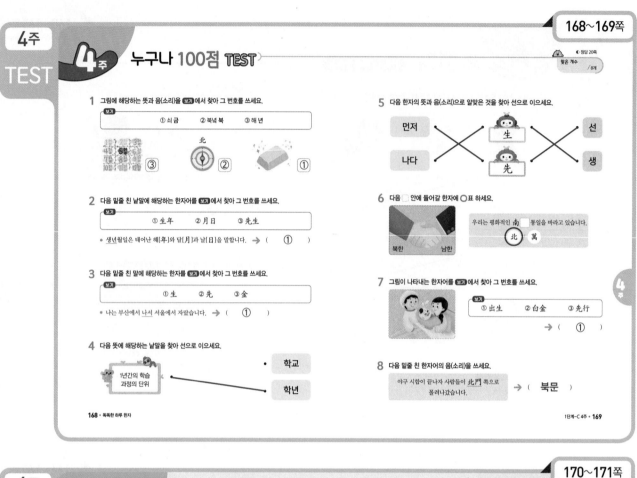

4주
TEST

4주 누구나 100점 TEST

◉ 정답 20쪽
맞은 개수 /8개

1 그림에 해당하는 뜻과 음(소리)을 보기에서 찾아 그 번호를 쓰세요.

보기
① 쇠 금　② 북녘 북　③ 해 년

③　北 ②　①

2 다음 밑줄 친 낱말에 해당하는 한자어를 보기에서 찾아 그 번호를 쓰세요.

보기
① 生年　② 月日　③ 先生

• 생년월일은 태어난 해[年]와 달[月]과 날[日]을 말합니다. → (①)

3 다음 밑줄 친 말에 해당하는 한자를 보기에서 찾아 그 번호를 쓰세요.

보기
① 生　② 先　③ 金

• 나는 부산에서 나서 서울에서 자랐습니다. → (①)

4 다음 뜻에 해당하는 낱말을 찾아 선으로 이으세요.

1년간의 학습 과정의 단위 • • 학교
• 학년

5 다음 한자의 뜻과 음(소리)으로 알맞은 것을 찾아 선으로 이으세요.

먼저 生 선
나다 先 생

6 다음 ▢ 안에 들어갈 한자에 ◯표 하세요.

우리는 평화적인 南▢ 통일을 바라고 있습니다.
北 萬

7 그림이 나타내는 한자어를 보기에서 찾아 그 번호를 쓰세요.

보기
① 出生　② 白金　③ 先行

→ (①)

8 다음 밑줄 친 한자어의 음(소리)을 쓰세요.

야구 시합이 끝나자 사람들이 北門 쪽으로 몰려나갔습니다. → (북문)

168 • 똑똑한 하루 한자
1단계-C 4주 • 169

4주
특강

4주 특강 창의·융합·코딩 생각을 키워요 ❶

◉ 정답 20쪽

국어+한문 다음 만화를 읽고, 성어의 뜻을 생각해 보세요.

九 死 一 生
아홉 구 죽을 사 한 일 날 생

◆ 성어의 뜻을 살펴보며 빈칸에 알맞은 한자를 채우세요.

구 사 일 생
九 死 一 生

→ '아홉 번 죽을 뻔하다 한 번 살아난다.'라는 뜻으로, 여러 차례 죽음의 고비를 겪고 간신히 목숨을 건진 상황을 이르는 말

170 • 똑똑한 하루 한자
1단계-C 4주 • 171

4주

특강

4주 특강 창의·융합·코딩 생각을 키워요 ❷

정답 21쪽

📖 코딩+한문 예시를 참고하여 규칙에 따라 칸을 색칠했을 때, 나타나는 한자의 뜻과 음(소리)을 쓰세요.

규칙

1. 오른쪽 표의 숫자는 연속으로 칠해지는 가로 칸의 수를 나타내요.
2. 숫자 칸의 색과 같은 색으로 왼쪽의 표를 칠하세요.
3. 예시로 日(날 일)자를 찾아 놓았어요.

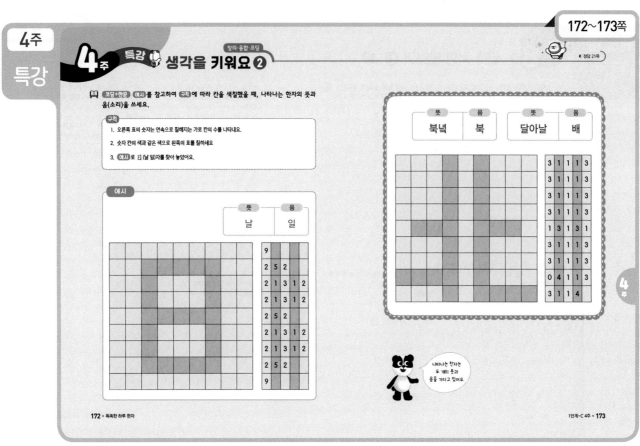

예시

뜻	음
날	일

뜻	음	뜻	음
북녘	북	달아날	배

나타나는 한자는 두 개의 뜻과 음을 가지고 있어요.

4주

특강

4주 특강 창의·융합·코딩 생각을 키워요 ❸

정답 21쪽

📖 국어+한문 두 친구의 대화를 읽고 답을 써 보세요.

1 다음 대화의 내용에 해당하는 선생님을 찾아 ✔표 하세요.

선생님은 우리보다 20년 먼저 태어나셨어.

우리가 9살이니까, 그럼 선생님은 몇 살이시지?

30살 ☐	31살 ☐	29살 ✔

2 '학생을 가르치는 사람'이라는 뜻을 가진 한자어를 보기에서 찾아 쓰세요.

보기

先生   來年   出生

先生

3 다음 대화를 읽고 알맞은 답을 쓰세요.

보기

선행   내년   출생   남북

나보다 4년 후에 出生한 내 여동생은 올해 ☐ 살이야.

우리 엄마는 나보다 30살 많으신데, 아빠는 엄마보다 4살 더 많으셔, 來年이 되면 아빠는 ☐ 살이야.

• 여학생의 말에서 밑줄 친 한자어의 음(소리)을 보기에서 찾아 쓰고, ☐에 들어갈 숫자를 쓰세요.

음(소리)		숫자
출	생	5

• 남학생의 말에서 밑줄 친 한자어의 음(소리)을 보기에서 찾아 쓰고, ☐에 들어갈 숫자를 쓰세요.

음(소리)		숫자
내	년	44

176~177쪽

8급 급수 시험

8급 급수 시험 맛보기 ①회

정답 22쪽

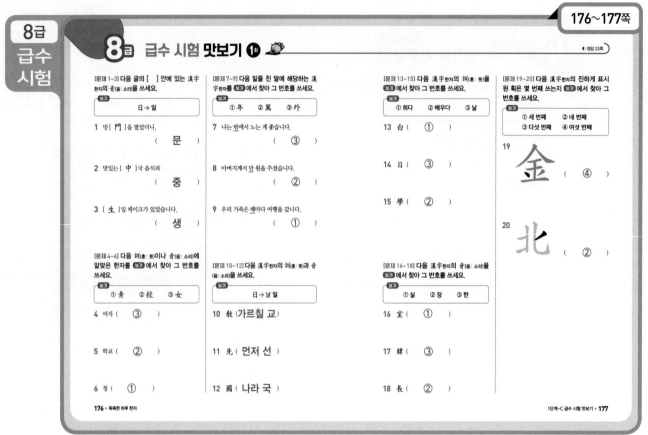

[문제 1~3] 다음 글의 [ ] 안에 있는 漢字 한자의 음(音: 소리)을 쓰세요.

보기
日 → 일

1 방 [門]을 열었더니.
(문)

2 맛있는 [中]국 음식과
(중)

3 [生]일 케이크가 있었습니다.
(생)

[문제 4~6] 다음 訓(훈: 뜻)이나 音(음: 소리)에 알맞은 한자를 보기에서 찾아 그 번호를 쓰세요.

보기
①靑 ②校 ③女

4 여자 (③)

5 학교 (②)

6 청 (①)

[문제 7~9] 다음 밑줄 친 말에 해당하는 漢字한자를 보기에서 찾아 그 번호를 쓰세요.

보기
①年 ②萬 ③外

7 나는 밖에서 노는 게 좋습니다.
(③)

8 아버지께서 만 원을 주셨습니다.
(②)

9 우리 가족은 해마다 여행을 갑니다.
(①)

[문제 10~12] 다음 漢字한자의 訓(훈: 뜻)과 音(음: 소리)을 쓰세요.

보기
日 → 날 일

10 教 (가르칠 교)

11 先 (먼저 선)

12 國 (나라 국)

[문제 13~15] 다음 漢字한자의 訓(훈: 뜻)을 보기에서 찾아 그 번호를 쓰세요.

보기
①희다 ②배우다 ③날

13 白 (①)

14 日 (③)

15 學 (②)

[문제 16~18] 다음 漢字한자의 音(음: 소리)을 보기에서 찾아 그 번호를 쓰세요.

보기
①실 ②장 ③한

16 室 (①)

17 韓 (③)

18 長 (②)

[문제 19~20] 다음 漢字한자의 진하게 표시된 획은 몇 번째 쓰는지 보기에서 찾아 그 번호를 쓰세요.

보기
①세 번째 ②네 번째
③다섯 번째 ④여섯 번째

19 金 (④)

20 北 (②)

178~179쪽

8급 급수 시험

8급 급수 시험 맛보기 ②회

정답 22쪽

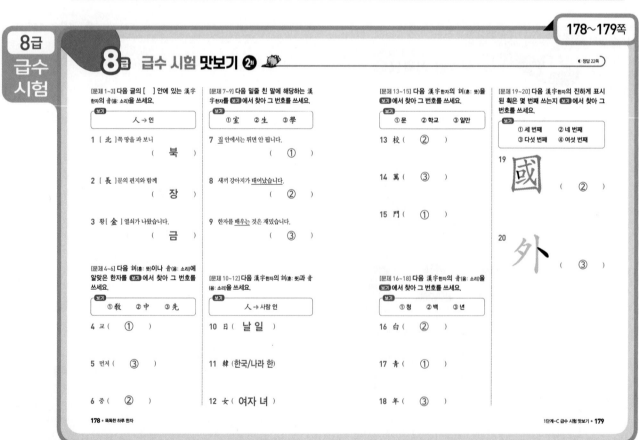

[문제 1~3] 다음 글의 [ ] 안에 있는 漢字 한자의 음(音: 소리)을 쓰세요.

보기
人 → 인

1 [北]쪽 땅을 파 보니
(북)

2 [長]문의 편지와 함께
(장)

3 황 [金] 열쇠가 나왔습니다.
(금)

[문제 4~6] 다음 訓(훈: 뜻)이나 音(음: 소리)에 알맞은 한자를 보기에서 찾아 그 번호를 쓰세요.

보기
①教 ②中 ③先

4 교 (①)

5 먼저 (③)

6 중 (②)

[문제 7~9] 다음 밑줄 친 말에 해당하는 漢字한자를 보기에서 찾아 그 번호를 쓰세요.

보기
①室 ②生 ③學

7 집 안에서는 뛰면 안 됩니다.
(①)

8 새끼 강아지가 태어났습니다.
(②)

9 한자를 배우는 것은 재밌습니다.
(③)

[문제 10~12] 다음 漢字한자의 訓(훈: 뜻)과 音(음: 소리)을 쓰세요.

보기
人 → 사람 인

10 日 (날 일)

11 韓 (한국/나라 한)

12 女 (여자 녀)

[문제 13~15] 다음 漢字한자의 訓(훈: 뜻)을 보기에서 찾아 그 번호를 쓰세요.

보기
①문 ②학교 ③일만

13 校 (②)

14 萬 (③)

15 門 (①)

[문제 16~18] 다음 漢字한자의 音(음: 소리)을 보기에서 찾아 그 번호를 쓰세요.

보기
①청 ②백 ③년

16 白 (②)

17 靑 (①)

18 年 (③)

[문제 19~20] 다음 漢字한자의 진하게 표시된 획은 몇 번째 쓰는지 보기에서 찾아 그 번호를 쓰세요.

보기
①세 번째 ②네 번째
③다섯 번째 ④여섯 번째

19 國 (②)

20 外 (③)

memo

memo

(사)한자교육진흥회 주관

국가공인 한자자격시험 교재

한자자격시험은 기초 한자와 교과서 한자어를 함께 평가
하여 자격증 취득 시 자신감은 물론 사고력과 어휘력, 교과
학습 능력까지 향상됩니다.

씽씽 한자자격시험만의 **100% 합격** 비결!

① 들으면 술술 외워지는 한자 동요 MP3 제공
② 보면 저절로 외워지는 한자 연상 그림 제시
③ 실력별 나만의 공부 계획 가능
④ 최신 기출 및 예상 문제 수록
⑤ 놀면서 공부하는 급수별 한자 카드 제공

• 권장 학년: [8급] 초등 1학년 [7급] 초등 2,3학년
[6급] 초등 4,5학년 [5급] 초등 6학년

(사)한국어문회 주관

국가공인 한자능력검정시험 교재

한자능력검정시험은 올바른 우리말 사용을 위한 급수별 기초 한자를 평가합니다.
자격증 취득 시 자신감은 물론 사고력과 어휘력이 향상됩니다.

• 권장 학년: 초등 1학년

• 권장 학년: 초등 2,3학년

• 권장 학년: 초등 4,5학년

• 권장 학년: 초등 6학년

• 권장 학년: 중학생

• 권장 학년: 고등학생

정답은
이안에
있어 !

기초 학습능력 강화 프로그램
매일 조금씩 공부력 UP!

국어
예비초~초6

수학
예비초~초6

영어
예비초~초6

바·슬·즐
예비초~초2

사회·과학
초3~초6

배움으로 행복한 내일을 꿈꾸는
천재교육 커뮤니티 안내 · · ·

 교재 안내부터 구매까지 한 번에!
천재교육 홈페이지

천재교육 홈페이지에서는 자사가 발행하는 참고서,
교과서에 대한 소개는 물론 도서 구매도 할 수 있습니다.
회원에게 지급되는 별을 모아 다양한 상품 응모에도
도전해 보세요.

 구독, 좋아요는 필수! 핵유용 정보 가득한
천재교육 유튜브 <천재TV>

신간에 대한 자세한 정보가 궁금하세요?
참고서를 어떻게 활용해야 할지 고민인가요?
공부 외 다양한 고민을 해결해 줄 채널이 필요한가요?
학생들에게 꼭 필요한 콘텐츠로 가득한 천재TV로 놀러 오세요!

 다양한 교육 꿀팁에 깜짝 이벤트는 덤!
천재교육 인스타그램

천재교육의 새롭고 중요한 소식을 가장 먼저 접하고 싶다면?
천재교육 인스타그램 팔로우가 필수!
누구보다 빠르고 재미있게 천재교육의 소식을 전달합니다.
깜짝 이벤트도 수시로 진행되니 놓치지 마세요!